ANDREAS GRYPHIUS

Großmütiger Rechtsgelehrter

oder

Sterbender Aemilius Paulus Papinianus

TRAUERSPIEL

TEXT DER ERSTAUSGABE,
BESORGT VON ILSE-MARIE BARTH
MIT EINEM NACHWORT
VON WERNER KELLER

PHILIPP RECLAM JUN. STUTTGART

Universal-Bibliothek Nr. 8935/36
Alle Rechte vorbehalten. © Philipp Reclam jun. Stuttgart 1965
Gesetzt in Petit Garamond-Antiqua. Printed in Germany 1973
Herstellung: Reclam Stuttgart
ISBN 3-15-008935-2

ANDREÆ GRYPHII

Großmüttiger
Rechts-Gelehrter/

Oder

Sterbender
ÆMILIUS PAULUS
PAPINIANUS.

Trauer-Spil.

Breßlaw/
Gedruckt durch Gottfried Gründern/
Baumannischen Factor.

Q. HORATIUS FLACCUS.
Lib. III Od. III

JUSTUM. ET. TENACEM. PROPOSITI. VIRUM.
NON. CIVIUM. ARDOR. PRAVA. JUBENTIUM.
NON. VULTUS. INSTANTIS. TYRANNI.
MENTE. QUATIT. SOLIDA. NEC. AUSTER.
DUX. INQUIETI. TURBIDUS. HADRIAE.
NEC. FULMINANTIS. MAGNA. JOVIS. MANUS.
SI. FRACTUS. ILLABATUR. ORBIS.
IMPAVIDUM. FERIENT. RUINAE.

PAETUS THRASEA
Ore C. Cornelii Taciti. Lib. XVI. Annal.

SPECTA. JUVENIS. ET. OMEN. QUIDEM. DII.
PROHIBEANT. CETERUM. IN. EA. TEMPORA.
NATUS. ES. QUIBUS. FIRMARE. ANIMUM.
EXPEDIT. CONSTANTIBUS. EXEMPLIS.

Inhalt deß Trauer-Spils.

Aemilius Paulus Papinianus deß Römischen Käysers Severi geheimer Freund / Käysers Bassiani Schwager / seines Brudern Käysers Getae Verwandter / aller dreyer Oberster Reichs-Hofemeister oder Praetorii Praefectus, wird in der höchsten Ehre von Neid / Verleumbdung und Verdacht angetastet / nachmals als Käyser Bassianus seinen Stiff-Bruder Käyser Getam in den Armen der Mutter und Käyserlichen Wittib Juliae ermordet; angehalten den Bruder-Mord bey dem Römischen Rath und Läger zu entschuldigen. Weil er aber dise hochschändliche Unthat zu beschönen / ungeachtet alles Versprechens Eigen-Nutzes / angedräueter Gefahr / Verlusts der Ehre und Güter / ungeachtet aller einrede der Anverwandten / Freunde / und Käysers Bassiani selbst / großmütig verwidert wird er den Tod seines einigen Sohnes anzuschauen / und sein wolverdintes Haubt mit bestürtzung deß gantzen Hofes und der Welt / dem verfluchten Richt-beil zu unterwerffen gezwungen in dem XXXVI. Jahr / zehenden Monat und vierdten Tage seines Alters den XXV. deß Hornungs / als Burgermeister zu Rom gewesen / M. Pompejus Asper und P. Aper, welcher Ambt auff das CCXII. Jahr nach der Geburt unsers Erlösers und Seligmachers einfällt.

Kurtzer Begriff der Abhandlungen.

I.

Papinianus klaget über die wider Jhn entstehende heimlich
und offentliche Verfolgung / gründet sich auff die Auffrichti[g]keit seines Gewissens / versichert die Käyserliche Wittib
Julien seiner Treue und geneigten Gemütes gegen Jhren Sohn
Getam: Widerleget die so Jhm Schuld gegeben / als wenn Er
zu sehr Käyser Bassiano anhängig / ermahnet / letzlich seine
Ehe-Gemahlin Plautiam zu Geduld und Vorsichti[g]keit bey
bevorstehendem Unglück. Seine Hofe-Junckern verwerffen in
dem Reyen / das herrliche Leben der Stats-Bedineten / und
preisen den glückseligen Zustand der jenigen die jhre Zeit
vor sich in stiller Ruhe zubringen.

II.

Laetus verhetzet Käyser Bassianum mehr und mehr auff
Getam, wie denn zu einer sondern Verbitterung Anlaß gibt /
daß sich Geta einen Befehl / welchen Bassianus außgefertiget / zu unterschreiben verwidert. Julia suchet vergebens
beyde Fürsten zu versöhnen / und wird in Jhrer Gegenwart
und Schoß Geta von Bassiano mit einem Dolch erstossen.
Julia beweinet den Untergang Jhres Sohnes: Wird aber von
Thrasullo Jhrem Sternseher erinnert / daß Sie durch dises
wehklagen sich in höchste Gefahr stürtzen / widrigen falls /
da Sie Jhre wehmut verborgen halten könne / gelegenheit
disen Tod zu rächen / und abermals den Thron zu besteigen /
erlangen werde. Worauff Sie gezwungen Jhre wehmut verbirget / und sich Cleandern, der deß ermordeten Fürsten
Leiche abzufodern / und wie Sie sich geberde / zu erforschen /

abgefertiget / anzuhören entschleust. Die Gerechti[g]keit gibt den Rasereyen (in den Reyen) macht über den Bruder-Mörder.

III.

Käyser Bassianus beklaget sein verübetes Verbrechen / und verdammet Laetum, den vornehmsten Anstiffter dieser Ubelthat / zu dem Tode. Höret Cleandern, welcher erzehlet / wie bey abholung der Leichen sich Julie gestellet / und was Sie gebeten. Worauff der Käyser anschafft Jhr Laetum lebend oder tod zu gewehren / und verspricht Getae ein herrlich Begräbnüß. Indessen trachtet Laetus auff mittel und gelegenheit / krafft welcher Er zu dem Käyserlichen Thron (als dessen Geta nun nicht mehr habhafft / Bassianus aber wegen deß Bruder-Mordes unfähig /) gelangen möchte. Befohret sich daß Jhm Papinianus in dem Lichte stehen dörffte / wird aber durch sein unverhofftes End-Urtheil erschrecket und der Käyserin überlifert. Papinianus weigert durchauß den Bruder-Mord zu beschönen. Julia vollzeucht jhre Rach an Laeto. Die Reyen erweisen daß kein Laster ungestrafft hingehen könne.

IV.

Dem Käyser Bassian wird von Cleandern vorbracht / wasermassen Papinian abgeschlagen die Entschuldigungs-Rede auffzusetzen / welches Er in höchsten Ungenaden empfindet / fordert derowegen Papinianum selbst vor sich / und befindet daß Er auff seiner meynung beständig verharre / derowegen der Käyser auff allerhand frembde und grausame Gedancken fällt / Papiniani Ehegemahl beklaget den vor Augen stehenden Untergang Jhres Hauses / und wird von Papiniano und Jhrem Kinde getröstet. Macrin entsetzet Jhn auff Käyserlichen Befehl seines Ambts / und führet seinen Sohn mit sich nach Hofe. Das Käyserliche Läger erbeut sich Papiniano beyzustehen / und Jhn selbst auff den Thron zu erheben / welchen Vorsatz Er eiferigst verwirfft. In den Reyen wird dem schlummernden Bassiano sein künfftiger Tod vorgestellet.

V.

Die Käyserin Julia verspricht durch jhren Kämmerer / Papiniano, da Er Jhr beyzustehen sich erklären wolle / Thron und Ehe / aber vergebens. Dessen Vater und Mutter beweinen sein Unglück / Er gehet auff Befehl zu dem Käyser / verharret auff seinem Vorsatz / tröstet seinen derowegen zum Tode verdammeten Sohn / und stirbet unverzagt. Als Plautia nebenst dem Römischen Frauenzimmer gleich auff dem Wege durch Threnen und Fußfall den Zorn deß Fürsten zu lindern; werden Jhr beyde Leichen entgegen bracht / worüber Sie in höchste Schmertzen und endlich in Ohnmacht sincket.

In dem Trauer-Spil werden eingeführet

als Redende.

Aemilius Paulus Papinianus, Röm. Reichs-Hofemeister.
Plautia sein Gemahl.
Papiniani Sohn.
Papinianus Hostilius, Röm. Raths-Herr / Papiniani Vater.
Eugenia Gracilis, Papiniani Mutter.
Erster und Zweyter Diner Papiniani.
Zwey Haubtleute auß dem Läger.
Antoninus Bassianus Caracalla, Röm. Käyser.
Antoninus Geta, Röm. Käyser / Bassiani Stiffbruder.
Julia, Käysers Severi Wittib / Getae Mutter.
Laetus, Käysers Bassiani geheimer Rath.
Flavius,
Cleander, } Käyserliche Bedineten.
Macrinus, Papiniani Nachfolger in dem Ambt / Bassiani
    Nachsaß auff dem Thron.
Drey Haubtleute so dem Käyser auffwarten.
Thrasullus, der Juliae Sternseher.
Das Frauenzimmer der Käyserin.
Das Römische Frauenzimmer.
Der Käyserin Cämmerer und Cammer-Bedinete.
Der Scherge so Papinianum enthaubtet.

Als Schweigende.

Unterschidene Haubtleut und Diner die beyden Käysern
    auffwarten.
Die Schergen mit den Welle-Beilen.
Papiniani Diner. Plautiae Stats-Jungfern.
Etliche geflügelte Geister.

Die Reyen sind der Hofe-Junckern Papiniani, der Themis und Rasereyen / deß Geistes Severi und der Käyserlichen Hofeleute.

Das Trauer-Spil beginnet mit dem Anbruch deß Tages / wehret durch den Tag / und endet sich mit Anfang der Nacht.

Der Schaw-Platz bildet ab die Käyserliche Burg / und Papiniani Wohnung.

Großmütiger
Rechts-Gelehrter
Oder
Sterbender
PAPINIANUS,
Trauer-Spiel.

Die Erste Abhandelung.

Papinianus.

Wer über alle steigt / und von der stoltzen Höh
Der reichen Ehre schaut wie schlecht der Pöfel geh /
Wie unter jhm ein Reich in lichten Flammen krache /
Wie dort der Wellen Schaum sich in die Felder mache /
Und hier der Himmel Zorn mit Blitz und Knall vermischt   5
In Thürm und Tempel fahr / und was die Nacht erfrischt
Der heisse Tag verbrenn' / und seine Sieges-Zeichen
Siht hier und dar verschränckt mit vielmal tausend Leichen;
Hat wol (ich geb es nach) viel über die gemein.
Ach! aber! ach wie leicht nimmt jhn der Schwindel ein   10
Und blendet unverhofft sein zitterndes Gesichte /
Daß er durch gähen Fall wird ehr man denckt zu nichte.
Wie leichte bricht der Fels auff dem er stand gefast /
Und reist jhn mit sich ab! bald wird der Gipffel Last
Dem Abgrund selbst zu schwer / daß Berg und Thal erzittert /   15
Und sich in Staub und Dampff in weite Brüche splittert;

Bald saust der rauhe Nord / und steht er dem zu fest
So bringt der faule Sud die ungeheure Pest
Die man Verläumbdung heist! wehn hat die nicht bekriget?
Wehn hat sie / wenn der Neid jhr beyfällt / nicht besiget?   20
Was ists Papinian daß du die Spitz erreicht?
Daß keiner dir an Stand / noch Macht / noch Hoheit gleicht?
Daß Läger / Hof und Rath / und Reich / dir anvertrauet?
Daß Hauptmann und Soldat bloß auff dein wincken
                                        schauet?
Daß dich das Römsche Volck der Länder Vater nennt?   25
Daß dich Sud / Ost und West / und raue Scyth' erkennt?
Daß du mit Schwägerschafft den Kaysern nah verbunden?
Daß dich Sever stets trew / du jhn stets Freund befunden?
Daß er in dem er schid / die Kinder dir befahl?
Und baut auff deine Brust sein höchstes Ehren-Mahl?   30
Wenn eben diß die Klipp' an der dein Schiff wird brechen!
Nun mich die Warheit nicht umb Laster kan besprechen
Ist Tugend mein Verweiß / die als sie durch die Nacht
Mit hellen Strahlen drang und sich durchläuchtig macht /
Viel Nebel hat erweckt die sich in Dünste theilen   35
Und umb und neben mich als Donner-Wolcken eilen
Von harten Knallen schwer und schwanger mit der Noth
Erhitzt durch rote Glut gestärckt mit Ach und Tod.
Welch rasen steckt euch an in Zanck verwirrte Brüder!
Ists billich daß ein Mensch selbst wüt' in seine Glieder /   40
Und eifer in sein Fleisch? Wie? Oder mag das Reich
Das ersten Grund gelegt auff brüderliche Leich /
Nicht unter beyden stehn? Ist euch der Länder mänge
Die grosse weite See / ja selbst die Welt zu enge?
Man theilte ja vorhin / wofern deß Blutes Band   45
Euch nicht mehr zwingen kan / so scheid euch Flut und
                                        Sand!
Nah / dient es länger nicht / wofern nicht Rom soll zittern

32 besprechen = in Anspruch nehmen.
34 durchläuchtig = von mhd. durchliuhten: durchstrahlen; deutlich wahrnehmbar.

Ob einem Jammer-Spiel. Mir ahnts! es wil sich wittern
Ich schaw deß Brudern Faust im brüderlichen Haar
Die grosse Stadt in noth / die Länder in gefahr /   50
Die Flott in lichtem brand / den hohen Thron zustücket /
Und mich durch eines Fall (doch ohne Schuld) erdrücket.
Doch klag ich Rom / nicht mich / ich scheue keinen Tod
Den mir von langer Hand die Eisen-feste Noth
An diese Seiten gab / man ließ vor vielen Zeiten   55
Zu meinem Untergang den Werckzeug zubereiten.
Verläumbdung schliff das Beil / das durch den Hals wird
                                               gehn
Wenn mir der heisse Neid wird über Haupte stehn.
Und hierumb hat man längst das Volck auff mich verhetzet /
Und Lügen umbgestreut / und meinen Ruhm verletzet   60
Der nach mir leben wird / man murmelt hir und dar:
Man hält mich in Verdacht / und schätzt für wahr und klar
Was Argwohn von mir dicht / die Läger sind beflecket /
Die Kirchen nicht zu rein / der Rath selbst angestecket /
Wer könt es denn nicht sehn daß meine Zeit außrinnt: 65
Wenn jeder / Tag für Tag / mir zu verterben spinnt.
Was hab ich denn verwürckt? Unredliche Gemütter!
Kommt Kläger! tretet vor! entdeckt wie herb und bitter
Auch eure Zunge sey! Ich fliehe die gemein /
(Sprecht jhr) und schliesse mich vor Freund und Frembden
                                               ein.   70
Wahr ists daß ich bißher den Umbgang was beschnitten;
Seid dem / daß ich mich muß vor Freund und Frembden
                                               hütten /
Die / was mein offen Hertz freymütig von sich gibt /
Das gar nicht schmeicheln kan und Falschheit nie gelibt /
Verkehrt und gantz vergällt dem Fürsten zugetragen.   75
Schämt jhr euch nicht mein Wort verkehrt mir nach zu
                                               sagen;
So stört mein einsam seyn durch eur gereusche nicht.
Mein Hof ist dennoch frey / ich halte stets Gericht /
Geb' offentlich Verhör / auch wenn der lichte Morgen

Den Himmel noch nicht siht / und sich der Tag verborgen.   80
Ich fahre keine Witt'b mit rauen Worten an /
Ich helffe wo ich mag / den ich nicht retten kan
Laß ich doch sonder Trost nicht von dem Angesichte /
Und klage wenn ich nicht / was jemand wüntscht / verrichte.
Man gibt mir ferner Schuld daß ich der Götter Ehr   85
Als auß den Augen setz' und nicht der Christen Lehr
Mit Flamm' und Schwerdt außreut'. Ists aber wol zu loben
Daß man so grimmig wil auff dise Leute toben /
Und Leich auff Leichen häufft da niemand recht erkennt
Was jhr Verbrechen sey? Wer jetzund Christen nennt   90
Wil stracks daß man zur Qual auch ohn erforschen eile /
Da doch das heilge Recht gesetzte Zeit und Weile
Beym Blut-gericht' erheischt! man strafft / ich weiß nicht
                                                was /
Und schir ich weiß nicht wie / welch Recht spricht billich das;
Daß man ein erbar Weib der Unzucht übergebe   95
Und in ein offen Haus auß jhrem Zimmer hebe /
Umb daß sie Christum liebt. Ist das die Röm'sche Zucht?
Ist diß ein neues Recht: So sey diß Recht verflucht!
Man wirfft mir weiter vor daß ich der Fürsten rasen
Und grimme Zwytracht stärck' und Flammen helff'
                                              auffblasen /   100
Die ich mit meinem Blut zụ dämpffen willig bin.
Nim grosse Themis nim den Schandfleck von mir hin!
Ich der die gantze Zeit auch mit gefahr deß Lebens
Den Bassian gehemmt / den Antonin vergebens
Zu Freundschafft anermahnt / werd' umb ein Stück
                                              verdacht /   105
Drob sich mein Geist entsetzt. Wer hiß der Läger macht
Den Brüdern in gemein den theuren Eid ablegen?
Noch gleichwol wolt ich sie zu theilen nechst bewegen!
Ihr Götter dieses Reichs! wofern bey solchem Stand
Mein Rath auß Boßheit kam so waffnet eure Hand   110
Mit Blitzen wider mich / und last es nicht geschehen
Daß ich mein eigen Haus muß ausser Zwytracht sehen!

Noch ferner sprengt man auß / als ring' ich nach dem Thron /
Und sucht auß diesem Zwist der Antoninen Kron;
Fahrt / rasende fahrt fort / also mir nachzustellen;   115
So wird die Lügen selbst in eurem Mund erhällen.
Hat die Aufflag in mir wol jrgends einen Schein?
Kommt mit dem Anschlag auch mein Leben überein?
Wen hab ich umbgekaufft das Werck mit mir zu wagen?
Wem die Verrätherey / den Meyneid vorgetragen?   120
Hab ich das Läger je zu meinem Dienst ersucht?
Kan diß mein' Einsamkeit? Kan diß der Freunde Flucht?
Sind mir die fernen Reich' und eingetheilten Waffen
Mit Pflichten zugethan? So kommt ergrimmte Straffen
Und fodert mich zur Pein! ists denn ein eitel wahn   125
Warumb bedenckt man nicht was ich bißher gethan?
Gilt ein vergiffter Mund mehr als ein rein Gemüte;
So fege frembder Schuld mein unbefleckt Geblüte.
Und diß wird nun mein Lohn; daß ich so manche Nacht
Entfernt von süsser Ruh / in Sorgen durchgebracht   130
Daß ich so manchen Tag Staub / Sonn und Frost getragen
Daß ich auff See und Land behertzt den Leib zu wagen
Mein und der Feinde Blut auff dieser Brust vermischt /
Durch meiner Glieder Schweiß der Länder Angst erfrischt /
Der Parthen Macht gestützt / den Nil und Phrat
                               gezwungen /   135
Den stoltzen Rhein umbpfählt / den Balth ans Joch
                               gedrungen /
Der Römer Recht erklärt / der Fürsten Schatz erfüllt /
Der Läger Trotz gezäumt / der Völcker Sturm gestillt /
Die Stadt in Hungers-Noth mit Ostens Korn gespeiset /
Jetzt West / jetzt wüsten Sud / und rauhen Nord
                               durchreiset /   140
Dort Schantzen hin gesetzt / hir Mauren auffgebaut /
Hier Thamm und Wahl gesänckt / und wo dem Frieden
                               graut /
Der Britten rauhe Ströhm' und Klippen-reiche Wellen
Mit Brücken überlegt / nie vor erkante Quällen

Den Arabern entdeckt / mein Leben in Gefahr   145
Für Freyheit deines Raths / O Rom / und dein Altar
Schir Tag für Tag gewagt / mir nichts zu schwer geschätzet /
Durch eignen Guts Verlust / gemeines Best' ergetzet /
Der Feinde List entdeckt / und Frembd' in Bündnüß bracht /
Verjagt' ins Reich versetzt / und die verschworne Macht   150
In erster Glut erstöckt / was könt ich anders hoffen:
Ein Schatten-reicher Baum wird von dem Himmel troffen:
Ein Strauch steht unversehrt. Wer die gemeine Noth
Zu lindern sich bemüht; sucht nichts als eigenen Tod.
Wer sich für alle wagt / wird auch nicht einen finden /   155
Auff dessen rechte Trew er könn in schiffbruch gründen.

Papinianus. Der Käyserin Cämmerer.

C ä m m e r e r. Glück zu!
P a p i n i a n.   Woher so früh?
C ä m m e r e r.   Recht auß der Frauen Saal
Das werthe Mutter-Hertz das stets in neue Qual
Durch diese Zwytracht sinckt / bemüht mich jhn zu grüssen
Und wil sich seiner Trew durch mich versichert wissen.   160
P a p i n i a n.
Wie? Zweiffelt Julie an unverfälschter Gunst!
C ä m m e r e r.
Die ungewissen Fäll umbhüllt mit trübem Dunst
Der Augen falscher Schein / der Klang vergällter Lippen /
Der Hertzen Wanckelmut sind leider harte Klippen /
An welchen Redli[ch]keit gar offt zu scheitern fährt.   165
Es weiß Papinian was jhren Geist beschwert.
Zugleich daß sie auff jhn all jhr Vertrauen setze /
Und weil er sicher steht / sich unvergänglich schätze.
Doch steckt der Neid den Hof mit so viel Seuchen an
Das niemand sonder Furcht. Wo man verläumbden kan: 170

---

151 erstöckt = mhd. erstecken (suffocare), transitiv von ersticken: erstik-
ken machen, würgen. Vgl. Grimm 3, 1005.

Beut Argwohn stets die Faust / wo Argwohn zugenommen:
Hat Schmertz die Oberhand und Haß den Thron
bekommen.

Papinian.

Was mischt man so viel Wort' und hält was noth zurück?
Zagt Julia auffs new? Entdeckt uns was sie drück.
Auffrichtig hab ich stets zu wandeln mich beflissen   175
Nie der Verläumbder Mund (das niemand kan) zu schlissen.

Cämmerer.

Man gibt jhr ein; es sey was mehr denn unerhört;
Daß Printzen / die in Haß / doch einen Mann geehrt /
Daß Geta sich zu letzt werd ohne Beystand finden;
Weil er sich läst zu sehr von Bassian verbinden.   180
Viel ists Papinian wenn uns der Käyser libt:
Und mit dem letzten Geist die Freundschafft übergibt /
Weit mehr / wenn dessen Huld wil gleich als erblich
werden /
Und wenn deß Fürsten Leib verkehrt in Staub und Erden /
Sein Nachsaß unverfälscht die Neigung unterhält /   185
Das höchst und was anjetzt uns als unglaublich fällt
Ist / wenn zwey Hertzen hart umb eine Krone zancken;
In beyder Hold zu stehn / von keinem abzuwancken.

Papinian.

Daß mich Sever erhub / und an die Seite setzt /
Und (in dem mancher sich durch rauhen Fall verletzt)   190
Als mit der Faust erhilt; muß ich mit ruhm erkennen
Und zwar mein Glück / doch mehr / deß Käysers Urtheil
nennen.
Das rede nun vor mich. War es der Tugend Lohn?
Was klagt jhr an mir an? Hat er der Fürsten Kron
Und Leben mir vertraut / als er die Zeit vollendet   195
Und Himmel-auff den Geist / nach so viel Sig gesendet:
So hat er einen Schatz / ja last mir anvertraut /
Weil er mein Hertz erkennt und gar genaw durchschaut /
Hab ich sein hoffen nun / das er geschöpfft / betrogen
Und letzten Willen nicht untadelhafft vollzogen: 200

So richte Reich und Welt. Ist denn sein Wuntsch vollbracht:
Warumb zeucht Julia die Freundschafft in Verdacht.
Wofern ja Bassian auffrichtig mir geneiget:
(Sein Aug' entdeckt mir was / ob wol die Lippe schweiget!)
Wird hierdurch Geta nichts von Nutz und Schutz entgehn.   205
Ein Freund kan für jhn mehr denn ein verhaster stehn.
Denn daß ich seitwerts ab von jhm mich trennen solte /
Wenn Antonin durch mich was schädlichs suchen wolte;
Kommt meiner Ehr und Eyd und Redlichkeit zu nah.
Hier steht Papinian wie jhn das Läger sah;   210
Als er den hohen Schwur den Brüdern abgeleget /
Und durch sein Vorbild / Rath und Stadt und Heer beweget.
Man such jhn anders nicht. Wer aber bringt euch bey
Daß ich dem ältern mehr durch gunst verbunden sey?
Weil ich Ampts halber muß fast täglich mit jhm handeln?   215
Siht man mit Geta mich nicht schier viel öffter wandeln?
Bringt meine Wort' hervor! legt alles auff die Wag!
Diß ist die Lantze nicht die mich verletzen mag!

Cämmerer.
Mehr wundert Julien daß man noch nie verspüret;
(Wie schwer auch Bassian von etlichen verführet)   220
Ob je Papinian, und wie / sich widersetzt.

Papinian.
Daß bald der Fürst auff diß / und bald auff den verhetzt:
Darff langer Worte nicht. Ob ichs gebillicht habe /
Ist leider was man fragt. Deß strengen Himmels Gabe
Ist diß was in uns wacht / das jhr Gewissen heist;   225
Das uns von innen warnt / und nagt / und reitzt / und beist.
Wenn dieses schon zu schwach die Menschen zu gewinnen;
Wird man mit Reden nicht die Geister brechen können.
Doch that ich offt was mehr / als mir mein Stand erlaubt /
Zu wenig thät der Fürst der mir zu wenig glaubt.   230

Cämmerer.
Es hört jhn niemand je deß Fürsten jrrthum schelten.

Papinian. Diß hilt man preisens werth / nun läst man
michs entgelten!

Daß ich dem Pöfel nicht die Ohren füllen kan*
Mit frembder Laster Dunst; gebt jhr vor Laster an.
O thörichte der nichts als lästern kan und schänden / 235
Wenn er vom Trunck erhitzt und mit nicht festen Händen
Den Wein zum Hals eingeust; erzittert und erschrickt
Wenn der den er verletzt / unzaghafft jhn beschickt /
Behertzt in gegenwart die schmach zu widerlegen.
Wer richten kan und soll ob der auff rechten Wegen 240
Dem j[e]der folgen muß sucht selbst deß Fürsten Ohr
Und trägt dem Völcklin nicht der grossen Thorheit vor.

C ä m m e r e r.
Sie eifert daß er nechst die Theilung vorgeschlagen!

P a p i n i a n.
Weil Rom zwey Sonnen nicht auff einen Tag wil tragen.

C ä m m e r e r.
Verstossen auß der Stadt: Verstossen von dem Reich! 245

P a p i n i a n.
Zwey Kronen spürt ich dort: Hier furcht' ich eine Leich.

C ä m m e r e r.
Entfernte kan man leicht durch schlaue Lüste dämpffen.

P a p i n i a n.
Anwesend' unversehns durch strenge Macht bekämpffen.

C ä m m e r e r.
Was heist von Rom verschickt? In fernes Elend zihn.

P a p i n i a n.
Auff einem Thron dem Haß und steter Furcht entflihn. 250

C ä m m e r e r.
Die Freunde können hir die herbe Zwytracht schlichten.

P a p i n i a n.
Und Feinde (leider) hir mehr Haß und Zanck anrichten.

C ä m m e r e r. Es war der Fürsten Rath der diesen überwug.

P a p i n i a n.
Weil sich die Mutter selbst zu sehr ins Mittel schlug.

* Unter diesen Worten kommet Plautia auff den Schaw-Platz und
höret von ferne zu biß sie in folgender Abwechselung unversehens hervor trit.

C ä m m e r e r.
    Man könte zwar das Reich / doch nicht die Mutter theilen / 255
P a p i n i a n. O könte sie das Reich und dessen Brüche heilen.

                Plautia. Papinianus. Der Cämmerer.

P l a u t i a.
    Recht auß! nur (leider!) sie ists die den Brand entsteckt.
    Sie / die die Unruh selbst und Seuch im Reich erweckt /
    Und zweiffelt sie an uns? Was sucht man ferner Zeichen?
    Must jhrer Statsucht nicht in fernes Elend weichen   260
    Was keusch und redlich war / als sie den Hof betrat
    Den sie mit Blut bespritzt / mit Haß vergifftet hat?
    O Schwester! werthes Hertz! wer hat das Band zutrennet /
    Krafft dessen Antonin in deiner Lieb entbrennet!
    Der nachmals dich so früh und unverdint verstiß   265
    Und an Charibdens Strand in tollem Zorn verwiß.
    Was hat sie weiter vor! Papinian mein Leben!
    Wil sie daß er zu letzt soll Plautien vergeben?
    Sucht sie umb daß er mich noch nicht verlassen kan:
    Wie er zu stürtzen sey? Euch Götter ruff ich an!   270
    Euch die man frölich nennt wenn nun die Braut verhüllet /
    Und jhres Liebsten Wuntsch mit Gegenwart erfüllet!
    Euch Götter ruff ich an! die jhr die Röm'sche Macht /
    Die jhr deß Fürsten Thron und weite Burg bewacht!
    Euch Götter ruff ich an! den Glaub und Trew vertrauet!   275
    Die jhr verdeckte Schuld ja Seel und Geist durchschauet!
    Seyd Richter zwischen uns! und wo jhr steuren könnt;
    So steuret dem was mir nicht Eh' und Ruhe gönnt!
    So steuret dem / das wächst durch Argwohn / Haß und
                                                Flammen
    Und seinen Ehrgeitz nährt durch tödten und verdammen!   280

    260 Statsucht = Herrschsucht; aus mlt. status; im 15. Jh. ‚Staat‘ in der
Bedeutung ‚Stand, Rang, besonderer Aufwand‘.
    268 vergeben = etwas geben, um einen zu verderben; durch Geben ver-
derben. Mhd. besonders häufig ‚vergeben mit Gifft‘ = jemand vergiften.
Vgl. Grimm 12 I 386.

C ä m m e r e r.

Durchlauchtigst ich erstarr; und weiß nicht wo ich sey:
Wil sie mit diesem Grimm der Fürsten Mutter bey?
Wie? Oder hab ich selbst den rauhen Zorn verschuldet?

P l a u t i a.

Ich hab' es gar zu lang' und mehr als lang' erduldet /
Und Zung und Wort gehemmt. Erlaubt: Ich breche loß /   285
Und geb euch / (hört nur zu /) die gantze Seele bloß.
Jhr wolt mein Ehegemahl der Welt verdächtig machen /
Jhr lockt und reitzt auff jhn deß tollen Pöfels Rachen /
Man spürt jhm Tag und Nacht auff allen Gängen nach /
Fängt seine Reden auff / beschmützt mit herber Schmach   290
Den wol-verdienten Fleiß; sucht heimlich umbzukauffen
Die jhm zu Diensten stehn / man siht Verräther lauffen
Umb Vor- und Hinter-Hof / in dem er euch erhebt /
Und für der Fürsten Heil und Mutter Ehre lebt.
Was reitzt euch aber an den theuren Freund zu hassen?   295
Nichts / als nur daß er nicht wil Plautien verlassen.
Daß er mich nicht von sich heist zu Plautillen gehn.
Diß ist die gantze Sach / (es kan's ein Kind verstehn.)
Das ander / das euch muß zu einem Vorwand dinen
Ist Nebel / Dunst und Dampff. Was darff man sich erkühnen 300
Zu forschen wehm wir trew? Wofern nicht Redli[ch]keit
Uns beyden pflichtig macht / und etwan auff die Seit
Haß oder Wolthat beugt / so könt jhr überlegen
Was jeder uns erwis / durch wessen Faust und Degen
Mein Vater untergieng. Wer auff sein Haus entbrand /   305
Wer meine Schwester fern in Ceres Insel bannt.
Ists wahr nun; wie es wahr / daß Bassian betrübet
Uns / die Fürst Geta mehr denn wol sein Bruder liebet;
Warumb denn gibt man vor / man ziel auff jenes Theil /
Uns ist ein fest Gemüt vor keine Neigung feil.   310
Wir ehren beyder Kron / so trew deß einen wincken
Als werth deß andern Hold / eh wird Calisto sincken
Wohin der grause Styx die Schweffel-Wellen schickt:
Den jemand darthun / daß uns minste Schuld bestrickt.

C ä m m e r e r.
   Den Eifer gibt Jhr ein / bloß ungewiß vermuten.   315
P l a u t i a.
   Gewiß ists: Daß mir offt die Hertzens-Wunden bluten.
C ä m m e r e r.
   Die Wunden / die Sie selbst Jhr durch Gedancken macht.
P l a u t i a.
   Gedancken / die jhr frisch bißher zu Wercke bracht.
P a p i n i a n.
   Genung! man weiß vorhin wie unser Haus gesonnen!
   Durch schmeicheln ward ich nie; durch pochen nicht
                       gewonnen.   320
   Ich bin der Ehren satt / der Aempter überdruß /
   Der Heuchler grosses Heer / der ungewisse Schluß
   Den man auff Schrauben setzt / der Räthe zages zittern /
   Der Zeitungs-Träger Gifft die Fürst auff Fürst erbittern /
   Und was ich jetzt nicht rühr' ermuntert mein Gemüt;   325
   Daß ich die Lachesis umb schnell' Entbindung bitt.
   Ob gleich der Jahre Reiff den Scheitel noch nicht färbet
   Und sich der Stirnen Haut in ernste Runtzeln kerbet.
   Vielleicht wird (wenn ich hin) noch jemand frey von Neid /
   Erwegen; wer ich war / wie ich der Zeiten Leid /   330
   Großmütig überwand / und was mir angetragen /
   Ja Schrecken / Furcht und Ach / hab auß der acht
                       geschlagen /
   Nicht Freund auß Gunst gestärckt / nicht Feind auß Haß
                       betrübt /
   Ja die mich unterdrückt biß in den Tod gelibt /
   Und daß mir Redli[ch]keit nie auß der Brust zu rücken;   335
   Ob schon der Zangen Grimm mich riss' in tausend Stücken.
P l a u t i a.
   Vergiffter Zungen Stich reist über Zang und Pfal.
C ä m m e r e r.
   Einbildung ist jhr selbst die allergrimmste Qual.

---

319 vorhin = von vornherein.

Plautia.

    Man gibt jhr Ursach Tod / und mehr uns vor zu stellen.

Cämmerer.

    Ich kam nicht an den Ort Sie weiter zu vergällen /   340
    Auch ruffen mir Geschäfft. Ich geh! entzündet nicht
    Ein Feuer / das schon glimmt und durch die Aschen bricht.

Plautia.

    Wil das Verhängnüß mich durch Glut zur Aschen machen:
    So werdet jhr gewiß mit in der Flammen krachen.

Plautia. Papinianus.

Papinian.

    Mein Hertz! es ist nicht ohn / es greifft die Seelen an   345
    Und presst den grossen Geist / der sich nicht hemmen kan
    Wenn Trotz mit schlauer List gewaffnet ein wil brechen:
    Doch (leider!) es ist schlecht sich nur mit Worten rächen /
    Wenn jener Schwerdter wetzt: Deß Vatern grosser Stand
    Verfiel auff einen Tag. Das Glück das nur auff Pfand   350
    Uns seine Schätze leiht; holt Zins und Haupt-Gut wieder
    Wenn niemand sichs versiht. Wo sind die starcken Glieder
    Der weiten Freundschafft hin? Es fordert noch was mehr /
    Und wo nicht meinen Leib / doch unser beyder Ehr.
    Sie lasse Julien und jhren Argwohn fahren /   355
    Und nehme sich in acht. Wer sich nur kan verwahren
    Wenn alles sincken wil / erhält das höchste Gut.

Plautia.

    O wolte / wolte Gott / daß Bassian mein Blut /
    Daß Julia diß Hertz / zum Opffer stracks begehrte!
    Hier ist sie die es jhn den Augenblick gewehrte.   360
    Doch nein! es ist was mehr / die Schwester meld ich nicht /
    Der der Cyclopen Fels die steten Seuffzer bricht /
    Mein Trost es kam mir vor eh sich Matuta regte
    Und sich die braune Nacht von jhrem Platz bewegte;
    Mich daucht /

Papinian.   Es ist nicht Zeit auff Träum' anjetzt zu sehn! 365

Wer wachend umb sich schaut / beobacht was geschehn /
Und spürt wie hoch die Lufft von Donner-Wolcken
                                    schwanger;
Schleust leichtlich das die Glut erhitzt auff Hof und Anger.
Und bergt sich wo er kan. Wer auff der Wache steht:
Muß stehn / ob schon der Strahl jhm durch die Adern geht / 370
Solt auch auff jhn allein sich gleich der Blitz erheben.
Ade! die Stund ist hier. Ich muß Verhöre geben.

Reyen der Hofe-Junckern Papiniani.

Wie selig ist der Hof und Macht /
Und der beperlten Zepter Pracht /
Auß den vergnügten Sinnen stellt /   375
Und sich in engen Gräntzen hält /
Der nicht nach leichtem Glück und hohen Aemptern steht
Und bloß mit reiner Seel und Gott zu Rathe geht.

Er zeucht zwar nicht in Purpur auff
Kein scharff- mit Stahl-bewehrter Hauff /   380
Umbgibt sein unbewahrte Seit
Er führt kein Heer zu rauhem Streit /
Er schreibt den Fürsten nicht Gesetz und Schlüsse vor;
Doch hat er Wonn und Lust die sein Gemüt erkor.

Ob seine Taffel nicht besetzt   385
Mit allem was das Aug ergetzt
Ob er nicht bey schon nahem Tag
Spät' Abend-Mahlzeit halten mag /
Und fern-gepresten Wein auß edlen Steinen trinckt
Biß daß der Morgen-Stern der göldnen Sonnen winckt;   390

Ob niemand nach erkauffter Müh
Fällt zitternd vor jhm auff die Knie;

375 vergnügten = zufriedenen; mhd. vergenüegen (zu ‚genug‘) = zufrie-
denstellen.

Ob er nicht herrscht in dem Gericht /
Und über Hals und Leben spricht;
Auch nicht deß Fürstens Schatz in seine Koffer schleust /   395
Und frembde Fantasie ins Königs Sinnen geust.

Ob er nicht reiche Schlösser baut
Auch nicht sich selbst im Kupffer schaut;
Ob nicht sein Ebenbild der Welt
In Alabaster vorgestellt;   400
Ob jhn kein Thracisch Roß halb-tantzend einher trägt /
Ob auff sein wincken nicht das gantze Land sich regt;

Doch siht er auß der stillen Ruh
Dem unbedachten Pöfel zu.
Und weiß nichts von dem blassen Neid /   405
Nichts von dem innern Hertzensleid /
Das in Palästen wohnt und dem die Jahre kürtzt
Der offt von höchster Höh in tieffsten Abgrund stürtzt.

Jhm reicht man kein gebiesamt Gifft /
Das Drachen-Eyter übertrifft.   410
Er weiß nicht was Verläumbdung sey /
Und ist von Furcht und zagen frey.
Man hält auff seinen Leib Verräther nicht in Sold /
Und laufft sein Haus nicht umb mit new-gepregtem Gold.

Wo Purpur nicht die Mauren deckt   415
Wird kein Auffmercker leicht versteckt.
Trug / Meuchelmord / Spieß / Dolch und Bley;
Laurt hinter der Tappezerey.
Er lacht wenn sich die Schaar der Opffer-Knecht erhitzt
Und auff sein Ampt und Stand durch falsch weissagen
                                spitzt.   420

Er lebt vor sich jhm selbst zu gut
Bebaut das Land mit gleichem Mut /

Vertreibt die bange Traurigkeit;
Mit Fällen längst verjährter Zeit.
Und was die Reich empört und Throne stürtzen kan   42
Das siht er unverzagt gleich einem Schaw-Spiel an.

Er forscht durch Fleiß und sinnen auß
Der nassen Amphitriten Haus
Versteht wenn Cynthia auffgeh
Und Hermes fünckel auß der Höh   43o
Erfindet sich in sich und was noch mehr / die Noth
Liegt unter seinem Fuß / er pocht den grimmen Tod.

Sein Hertz ist heilger Götter voll /
Und wenn er hier gesegnen soll
Und jhn das Alter rufft zur Ruh;   435
Schleust er gar sanfft die Augen zu.
Wie daß uns denn was hoch / doch für und für verletzt
Vor dem was niedrig ist und stets erquickt / ergetzt?

Die Andere Abhandelung.

Bassianus. Laetus.

L a e t u s. Der Fürst verschertzt die Zeit / und schertzt mit
                              seinem Heil.
B a s s i a n.
   Ist denn der Zepter nur umb Blut und Wunden feil?
L a e t u s.
   Ja! wenn jhn zwey zu gleich mit aller Schaden führen.
B a s s i a n.
   Das grosse Reich kan zwey mit einer Würde zieren.
L a e t u s.
   Das ließ weil Rom erbaut sich nicht ohn Schaden thun.   5o

Bassian.

Heist dieses auff dem Thron in höchsten Würden ruhn!

Laetus.

Der ruht nicht der so eng' auff einem Thron muß sitzen.

Bassian.

Soll ich mit diesem Dolch deß Brudern Hertz auffritzen?

Laetus.

Der in deß Fürsten Geist stets neue Wunden macht.

Bassian.

Die Wunden rühren wol zum meisten auß Verdacht.　　　　　10

Laetus.

Wer schon Verdacht erweckt; kan leicht was mehr erregen.

Bassian.

Nicht jede Wolcke dräut mit Blitz und Donner-Schlägen.

Laetus.

Was Blitz und Donner schafft dämpfft auß der Erden vor.

Bassian.

Man gibt Verläumbdern offt ein gar zu günstig Ohr.

Laetus. Was durch so viel entdeckt / kan nicht
　　　　　　　　　　　　Verläumbdung heissen.　　　　　15

Bassian. Die freche Jugend pflegt unbändig außzureissen.

Laetus. Kan Jugend diß; was wird das Alter unterstehn!

Bassian. Hiran sind Schuld die jhm an seiner Seiten gehn.

Laetus. Dafern der Häuptmann weg: Halt ich das Heer
　　　　　　　　　　　　geschlagen.

Bassian.

Solt ich ein solches Stück an meinem Bruder wagen!　　　　　20

Laetus.

Man sieht nicht Brüder an wenn man umb Kronen spielt.

Bassian.

Der Artzt ist scharff der nicht die Wunden selber fühlt.

Laetus. Nicht scharff / wenn schon der Leib nicht ohn den
　　　　　　　　　　　　Schnidt zu heilen.

Bassian. Der schneidet viel zu tieff / der selbst den Stamm
　　　　　　　　　　　　wil theilen.

17 unterstehn = unternehmen.

L a e t u s.

Der selbst zwey-stämmig wuchs / auß zweyer Mütter Leib.

B a s s i a n. Auß eines Vatern Blut! auß eines Fürsten Weib!

L a e t u s.

Wo nicht ein Mutter-Hertz / sind weit gesinnte Sinnen.

B a s s i a n. Man kan auch frembd' und Feind durch Lieb
und Gunst gewinnen.

L a e t u s.

Viel leichter frembd' und Feind als Stiff-geschwistert Blut.

B a s s i a n.

Auch dieses / wenn die Art und Sinn und Seele gut.

L a e t u s. Wer kennt nicht Juliens hochmütigste Gedancken?

B a s s i a n. Die nur auff Schönheit gehn / und fern von
diesen Schrancken.

L a e t u s.

Was mehr denn Schönheit gibt jhr diese Sinnen ein.

B a s s i a n.

Ein prächtig Antlitz kan nicht ohn Einbildung seyn.

L a e t u s. Hat jhr Geburts-Stern nicht jhr Kron und Thron
versprochen?

B a s s i a n.

Was jhr der Vater gab / hat jhr sein Tod zerbrochen.

L a e t u s.

Weil noch das Leben blüht würckt der Gestirne Macht.

B a s s i a n.

Diß ist deß Himmels Lauff / der Sonnen folgt die Nacht.

L a e t u s.

Und doch muß nach der Nacht die Morgenröth auffgehen.

B a s s i a n.

Kont Agrippine sich / wie Drusus starb / erhöhen?

L a e t u s.

Ja / wenn Jhr Nero nicht die Sehnen gantz zerschlitzt.

B a s s i a n.

Auff den der Pöfel noch mit Schmach und höhnen spitzt.

42 spitzt = speit; ausspitzen dasselbe wie ausspucken; Grimm 10 I 2609.

L a e t u s. Der Pöfel / aber nicht die die den Stat erwegen.
B a s s i a n. Er hat deß Brudern Tod offt zu beklagen pflegen.
L a e t u s.
   Den Bruder besser / denn sich selbst zu spät beklagt.   45
B a s s i a n. Dort hatt' es Agrippin nur gar zu vil gewagt.
L a e t u s.
   Pflegt man nicht jeden Schluß anjtzt frech auß zu schelten?
B a s s i a n.
   Dennoch muß unser Schluß / trotz dem es leid! stets gelten.
L a e t u s.
   Jtzt gilt er / weil mit Macht Jhm nicht zu wider stehn.
B a s s i a n.
   Wer solt uns wol mit Macht entgegen können gehn?   50
L a e t u s. Der / dem die Läger hold / dem Rath und Volck
                  geschworen.
B a s s i a n.
   Sie haben gegen uns noch Hold noch Pflicht verloren.
L a e t u s. Noch gegen Julien, die vor Jhr Blut bemüht.
B a s s i a n.
   In dem deß Vatern Stamm in frischen Zweygen blüht.
L a e t u s.
   Stamm / Reich und Stab beruht auff dem der erst geboren. 55
B a s s i a n.
   Der Vater hat uns beyd' auff einen Thron erkoren.
L a e t u s.
   Als Vater / ich gestehs / nicht als ein Fürst der Welt.
B a s s i a n.
   Wir thun was Vater / Rom und Göttern wolgefällt.
L a e t u s.
   Ein Fürst muß Eltern zwar / doch nur als Fürsten ehren.
B a s s i a n. Was wird man von Sever, das nicht gantz
                Fürstlich / hören?   60
L a e t u s.
   Das Er / was man nicht kan zutheilen / theilen hiß.
B a s s i a n.
   Weil Läger / Volck und Rath es jhm gefallen liß.

L a e t u s.

Ja was wird Jhnen nicht (wil nur der Fürst) gefallen!

B a s s i a n.

Sie speyn auff Fürsten offt stanck / rasen / gifft und gallen.

L a e t u s.

Diß thun Sie / doch auß Furcht der Straffen / in geheim.   6

B a s s i a n. Und bringen in den Rath geklärtes Honigseim.

L a e t u s.

Das sich in Wermut kehrt wenn jemand Sie entzündet.

B a s s i a n.

Es ist der Völcker Recht / das Blut mit Blut verbindet.

L a e t u s.

Ein Fürst ist von dem Recht und allen Banden frey.

B a s s i a n.

Jhn bindt der Götter Furcht. Diß Band geht nicht entzwey.   7

L a e t u s. Wil Jupiter nicht selbst allein den Zepter führen?

B a s s i a n. So daß die Brüder nichts an Jhrer Macht verliren.

L a e t u s. Die stehn doch unter Jhm und unter eines macht.

B a s s i a n.

Jhr Götter dises Reichs! wo sind Wir hingebracht!

L a e t u s. Die Götter haben selbst die Theilung nie belibet.   7

B a s s i a n.

Ist jemand der mit Grund diß was du sagst vorgibet?

L a e t u s. Gab nicht Severus an ein doppelt Kammer-Bild?

B a s s i a n. Du meinst das Fürsten Glück gezihrt mit Palm
                                          und Schild?

L a e t u s.

Recht! aber ward sein Wuntsch eh' Er verschid vollführet?

B a s s i a n.

Nein! weil Er daß der Tod Jhm schon zu nahe / spüret.   8

L a e t u s. Was aber gab der Geist Jhm vor dem Abschied ein?

B a s s i a n.

Daß eines Tag' umb Tag solt umb die Fürsten seyn.

L a e t u s. Und haben besser je die Götter sich erklehret?

B a s s i a n.

Wir glauben fast daß Sie den Anschlag abgekehret.

L a e t u s. Sie reitzen noch das Volck das nur nach einem siht. 85

B a s s i a n. Weil noch der Widerwill' in einem Hofe blüht.

L a e t u s. Die Blüte wird uns noch gar saure Früchte bringen.

B a s s i a n.

    Dörfft uns das Läger auch / wenn was gewagt / bespringen?

L a e t u s.

    Eh wenn man gar nichts wagt / und andre wagen läst.

B a s s i a n. Wenn nur Papinian mit steter Trew uns fest. 90

L a e t u s.

    Er ists. Doch Zeit und Glück verändert offt die Sinnen.

B a s s i a n.

    Wie? Solte diser Mann sein Hertz auch ändern können?

L a e t u s. Man nenne keinen nicht beständig biß er tod.

B a s s i a n. Wir haben seine Trew geprüft in grimmster Noht.

L a e t u s.

    Auch Geta, dem Er wol so hoch als Jhm verbunden! 95

B a s s i a n.

    Wie offt hat Er nicht Rath vor beyder Zanck gefunden!

L a e t u s.

    Wer vor so grosse findt; sucht offtmals wol vor sich.

B a s s i a n.

    Gewissen / grosser Mann! und Wissen spricht vor dich.

L a e t u s.

    Wer offt das meiste weiß: Gibt wenig auff Gewissen.

B a s s i a n. Recht. Doch Papinian ist allhir auß zu schlissen. 100

L a e t u s. Ich geb es nach / und wüntsch Jhn ewig wie er ist.

B a s s i a n.

    Wanckt er / so ist vor dich sein Ehren-Stand erkist.

              Bassianus. Laetus. Flavius.

F l a v i u s.

    Fürst Antonin steht an den Schluß zu unterschreiben

    Krafft dessen Celsus soll Aegyptens Land-Vogt bleiben /

    Biß Er / mein Herr / mit Jhm diß Stück was überlegt. 105

L a e t u s. Merckt Bassian wie sich sein hoher Vorsatz regt?

B a s s i a n. Was? Wil uns Antonin numehr Gesetze stellen?
　　Wer sind wir? Wir und er! darff er wol Urthel fällen?
　　Nun? Nach verfastem Werck / umbstossen was man schloß?
　　Sind wir sein Gauckel-Spiel?
L a e t u s.　　　　　　　　　　Er gibt sich was zu bloß.　　11
B a s s i a n.
　　Jhr Götter / welche Rom und dieses Reich anflehet;
　　Die Jhr durch uns vermehrt / was Jhr beschützt / ansehet:
　　Schaut auff den Ubermut der in der Brust entglimmt /
　　Deß Brudern / der als Feind uns zu verterben stimmt /
　　Was kan man doch forthin auß den verwegnen Wercken /　11
　　Durch jeden Sonnen-Lauff / als steiffe Frechheit mercken /
　　Die auff verdecktem grund uns vor das Licht auffbaut
　　Und einig von dem Thron nach unser Baare schaut.
　　Wie können in dem zwang' und hohn Wir länger stehen?
　　Eh soll der Abend-Stern nicht auß der See auffgehen /　　12
　　Eh soll Apollo nicht uns weigern sein Gesicht
　　Als mittel uns und Jhn / (wo Mittel ja gebricht
　　Als letzte Macht) getrennt: Er scheid' in seine Britten /
　　Ja wo umb Calidon die kalten Norden wüten
　　Er geh wo Tagus reist / ja wo der Rhein entspringt /　　12
　　Wo sich der Rhodanus durch See und Felder dringt /
　　Er geh wo Ister sucht das rauhe Land zu trennen /
　　Und hundertfach vermehrt ins schwartze Meer zu rennen /
　　Er such' umb Macedon Jhm ein bequemer Reich!
　　Beherrsche Phrygien! es gilt uns alles gleich!　　　　　13
　　Er jag' in Nabatra die niemals zahmen Löwen!
　　Wenn nicht in einer Burg Wir seinen Trotz zu scheuen.
　　Wir lassen Rom Jhm selbst / er bleib allhier! Wir zihn
　　Wo seinem Ubermut und Vorsatz zu entflihn.
L a e t u s.
　　Bewegung wird numehr die Gifft nicht dämpffen können.　13
　　Man ändert zwar den Ort / nicht die erhizten Sinnen.
　　Der Brand glimmt hier in Rom / und lodert / und
　　　　　　　　　　　　　　　　　erkracht /
　　Ob schon der jhn entsteckt sich in die ferne macht.

Solt Er wol weit von uns sich ruhig halten können /
Wo Läger / Heere / Städt' / und Schlösser zu gewinnen? 140
Wenn Jhn deß Fürsten Aug' in dem besetzten Zelt
Und hart umbschränckter Macht nicht in den Gräntzen
                                                    hält.
Wehn schickt man mit Jhm auß? Die Er durch Gunst
                                                    verbunden?
Die wagens Jhm zu gut. Die Wir stets trew gefunden?
Denn stehn Wir gantz entblöst! wenn Er gestärckt
                                                    umbkehrt / 145
Und mit entblöstem Stahl durchstöst was Wir entwehrt.
Wird nicht der Außzug selbst / (solt Er erbittert weichen)
Erhitzen Land und See? Es gilt den höchsten Eichen
Wenn Boreas ergrimmt auß seinen Klippen reist /
Und den entdeckten Stamm zerschmettert und zerschmeist / 150
Wenn umb den Apenin die Wolcken sich bewegen;
Erklingt die schwartze Lufft von hellen Donner-Schlägen.
Bassian.
  Wer hilfft? Wer rettet uns auß der verwirrten Noht?
Laetus.
  Man rettet gantze Reich durch eines Menschen Tod.
Bassian.
  Der uns so nah verwandt! der uns so hoch verpflichtet! 155
Laetus. Der durch Verwandter Fall sein Haus und Haubt
                                                    auffrichtet.
Bassian.
  Umbsonst! der Schluß ist fest! wir dinen länger nicht.
Laetus.
  Umbsonst! wenn man nicht bald das Joch in Stücken bricht.
Bassian.
  Was Römisch soll fort an nur eines wincken ehren.
Laetus.
  Was Römisch kan sich nur durch eine Macht vermehren. 160
Bassian.
  Halt an! Er kommt mit der / die Jhm den Wahn eingibt.
  Und mehr Jhn hoch allein / denn beyde ruhig libt.

Geta. Julia. Bassianus. Laetus. Nebenst der Käyserin
Frauenzimmer.

G e t a.
Dem Bruder wüntschen Wir Sig / Heil und glücklich Leben.
B a s s i a n.
Wir Jhm / und daß Er sich nicht höher mög erheben.
Als sein selbst eigen Heil und Nutz der Römer wil.   16
G e t a. Sein und der Römer Nutz ist unser höchstes Zil.
B a s s i a n.
Diß spricht der Mund: Sein Hertz ist fern von disem sagen.
G e t a. Man zeig' uns ob das Hertz je anders sich getragen.
B a s s i a n.
Diß zeigt die stete That. Wenn fällt uns Geta bey?
G e t a.
Stets! wenn nicht Bassian den Bund reist selbst entzwey.   17
B a s s i a n.
Wer? Wir?
J u l i a.   Wofern sein Hertz noch eine Flamme kennet;
Gekrönter Fürst und Sohn! die vor / Jhn gantz
                                   durchbrennet;
Als Er umb disen Hals die liben Armen schlug /
Und uns stets feste Trew mit seinem Kuß aufftrug.
Als Er sich umb die Brust voll keuscher Glut gewunden /   17
Und Mutter-hold in uns / und Mutter selbst gefunden /
Wo sein Gedächtnüß noch die Wort in Obacht hält
Mit den der Vater schid / als nun die grosse Welt
Zu klein vor seinen Ruhm / der Jhm den Weg gebähnet
In heilger Götter Schloß dahin Er sich gesehnet   18
Als nichts Jhm hir anstand: So bitten Wir / Er schaw
Uns gnädigst-freundlich an: So bitten Wir / Er traw
Daß Julie sich nie / noch je jhr Kind erkühnet
Zu wagen was nicht Jhm zu Ehren-Nutz gedinet.
Wir bitten Er erkenn' ob schon ein Meuchel-Hund   18
Verdacht und Galle speyt / ob ein verläumbdend Mund
Jhm unsre Redli[ch]keit weit anders auß wil streichen;
Daß dennoch eh' ein Fels soll von dem Abgrund weichen /

Daß eh' ein Ancker soll gehefft an Wolcken stehn
Daß eh' ein kreischend Roß soll durch die Wellen gehn / 190
Wenn sie in höchstem Zorn die Sternen fast besprützen /
Ja / daß das Reich der Nacht soll zeigen Ditis Pfützen;
Als jemand / sonder falsch uns darthun; daß man nicht
Nach seiner Wolfahrt Mast und Lauff und Ruder richt /

B a s s i a n.

Fraw Mutter und Princeß; es läst sich nicht verblümen 195
Was mehr denn häßlich scheint. Sie mag Jhr Hertze
rühmen:
Sie fuss' auff Jhre Treu' und stell auffrichtig vor
Was Sie uns je erwiß: Sie findt ein offen Ohr
Und noch verlibte Seel. Eh soll die See verrinnen /
Eh soll der strenge Nord vor Schlossen / Gold gewinnen / 200
Und Demant vor Crystall / als Sie in diser Brust
Nicht fest verschlossen stehn. Sie prüf' es / hat sie Lust!
Und forder / was man nur kan von der Welt erheben /
Und Jhr Princess' / allein / der Römer Haubt kan geben.
Daß aber Sie was mehr sorgt vor Jhr eigen Blut 205
Als es der Stat erlaubt; ist freilich nicht zu gut.
Die Mutter (wir gestehns!) muß ja jhr Kind hoch liben /
Es pflegt ein rasend Wild sich hefftig zu betrüben
Wenn die noch junge Zucht durch Unfall wird verletzt.
Fürstinnen die das Glück auff steile Throne setzt; 210
Schreibt man ein härter Recht! Sie müssen diß nur achten;
Durch dessen Untergang Sie sincken und verschmachten.
Die Libe der Gewalt geht weit vor Blut und Kind.
Doch Sie ists (werthe Fraw) die kein Gesetze bindt.
Sie siht auff einem Thron zwey Jhrer Söhne blühen / 215
Der Ein ist ja jhr Kind / durch Sorg und aufferzihen /
Der Ander durch Geburt. Sie herrscht durch beyder Macht /
Wolan! Sie nehme beyd' auff gleiche Weis' in acht.
Geh' auß dem Mittelweg nicht auff die eine Seiten /
Sie laß Jhr eigen Fleisch sich nicht in jrre leiten. 220

J u l i a. Zeugt Fürsten jener Welt! du vorhin Ehgemahl
Und numehr Göttern gleich! Wir wissen keine Wahl.

Hört beyde Söhn' und glaubt! Wir wissen nicht zu sagen:
Zu welchem Wir mehr Lib' und wahre Neigung tragen.

B a s s i a n.

O Mutter! wär' es so! wol stünd es umb das Reich!   225
Wol auch umb Sie und Uns! Wir herrschten beyde gleich!
Entbränt in eine Lib' / hergegen muß man klagen:
Daß es der Bruder nur zu viel auff Sie darff wagen.
Was stöst er jtzt nicht umb? Nur weil es uns belibt:
Und Jhm der Mutter Gunst was frecher Sinnen gibt!   230

J u l i a.

Fürst! ewig werthes Kind! Wir knien vor beyder Füssen /
Und wüntschen (ists geschehn!) durch unser Blut zu
                                        büssen /
Er mäss' uns diß nicht zu / was nie von uns gedacht.
Ein Hof-Verläumbder hat uns in diß Netz gebracht.
Ein toller frecher Mann / der Euer beyder Leben   235
Verfolgt / und sich selb-selbst wil auff den Thron erheben.

G e t a. Auff Mutter von der Erd! Es ist nicht weinens Zeit:
Wenn jeder wider uns und unser Unschuld schreyt.
Wenn jeder Sie durch uns sucht in das Grab zu stürtzen /
Ja selbst deß Brudern Macht durch beyder Fall zu kürtzen. 240

J u l i a. Ist denn die Brüder-Lib' in beyder Hertzen kalt?

G e t a. Hir brennt Sie! Bassian libt leider nur Gewalt.

B a s s i a n.

Hir brant Sie! Geta dämpfft sie mit list / haß und zancken.

G e t a. Der seinem Bruder trew / wenn Reich und Thron
                                        wird wancken.

B a s s i a n.

Der seine Schlüss' umbstöst / und sein Gesetz verlacht.   245

G e t a.

Offt / wenn man schlüssen nicht zu embsig nachgedacht.

B a s s i a n.

Der seine Diner höhnt und die Verwalter schändet.

G e t a.

Wenn man die besten nicht zu Land-Verwaltern sendet.

B a s s i a n. Die besten / die Er uns nicht treulos machen kan.

G e t a. Treulos ist / der von uns diß gab dem Bruder an. 250
B a s s i a n.
    Warumb verwirfft man dehn dem Wir Aegypten gönnten?
G e t a.
    Dieweil Wir seinen Geitz nicht mehr vertragen könten.
B a s s i a n.
    Wird darmit unser Wort und Hand nicht höchst geschertzt?
G e t a. Nein! wenn der Fürst was Recht und Fürsten-Wort
                        behertzt.
B a s s i a n. So glaubt man daß Wir blind und unbedacht hin
                        schreiben? 255
G e t a.
    Man soll nicht sonder Rath ein hohes Werck betreiben.
B a s s i a n. Steckt Er denn voll von Rath; und schätzt uns
                    ohn Verstand?
G e t a.
    Warumb setzt man den Rath dem Fürsten an die Hand?
J u l i a. O Kinder haltet inn!
B a s s i a n.   Man muß den Zäncker hören.
G e t a. Und den / der weis' allein sich dünckt / noch Weißheit
                  lehren. 260
L a e t u s. Verträgt der Fürst den Hohn?
J u l i a.   Gib nach mein Blut! gib nach!
    O Fürst! O Bassian!
B a s s i a n.   Nim hin vor dise Schmach!
G e t a. Ach Bruder! Mutter Ach!
J u l i a.   Ach Antonin! mein Hoffen!
G e t a. O Bruder! Ach verzeih!
J u l i a.   Schaw unsre Brust ist offen!
    O Kind! O Fürst! halt inn! O Jungfern! Diner! reist! 265
    O reist den Fürsten hin! Eh' Er deß Brudern Geist
    Durch so viel Stich' erschöpfft! O Himmel! Ich
                  verschwinde.
G e t a. O Bruder! O Sever! O Mutter!

253 geschertzt = verhöhnt. Grimm 8, 2597: schertzen = zum Narren
haben, leichtfertig mit etwas umgehen.

R e y e n*.   O was finde!
  Ich für ein Jammer-Spil! O Fürst!
B a s s i a n.   Last! last uns loß!
  Wie nun! wer hölt uns hir! Ist frech' Eur Trotz so groß?   27C
  Dörfft Jhr / verwogne / Faust an Euren Fürsten schlagen?
  Wo sind wir! dörfft jhr Knecht' / Jhr auch Leib-eigne
                                        wagen
  Zu gehn auff unserm Leib'? Jetzt bricht der Meyneid auß!
  Man hat den Platz umbschranckt! man hat das sicher' Haus
  Mit Mördern gantz umbsetzt! Mord! Mord! wir sind
                                        verrathen!   275
  Man steht nach unserm Hals! O grimme grause Thaten.

            Julia. Reyen deß Frauenzimmers.

R e y e n.
  O rauer Donnerschlag!
R e y e n.   Ach werther Fürst! schöpfft mut!
  Schöpfft mut mein Fürst!
R e y e n.   Er ligt / ertränckt in mildem Blut.
R e y e n.
  Bringt Balsam!
R e y e n.   Nur umbsonst!
R e y e n.   Umbsonst! Er ist vergangen!
  Ach hat der Götter macht so herben Fall verhangen!   280
  Princess'! auff! auff!
R e y e n.   O! last Sie in der Ruh
  Der letzten Ohnmacht / setzt Jhr nicht mit disem herben
                                        Anblick zu!
  Weh! Weh! der Fürst ist hin! durch Zorn erhitzter Hände!
  Die Mutter fällt dahin / durch jhres Sohnes ende.
  Weh! Weh! der Fürst ist hin!   285
R e y e n. Unser Lust! der Erden Wonne! Trost der Welt! der
                                        Römer hoffen!
  Hat der unverhoffte Blitz / dein belorbert Haupt getroffen!

---

* Reyen der Jungfern und Cammer-Diner.

O daß Ich Zeugin bin!
Dises schrecklichen Beginnens /
O deß herben Threnen-rinnens!   290
Mit dem die Mutter wird das milde Blut abwaschen!
Fürstin! Ach! fällt deine Cron / auff deß werthen Kindes
                         Aschen!
J u l i a. Wo sind Wir! Ach!
R e y e n.   Ach Fürstin! Ach und Weh!
J u l i a. O Kind! O Geta!
R e y e n.   Weh! Weh!
J u l i a.   Recht der Welt vergeh!
Brecht Himmel! Sternen kracht! Sprützt Schwefel-blaue
                      Flammen!   295
Jhr Lichter jener Welt fallt! Klippen stürtzt zusammen!
Und werfft den Grund der hart-befleckten Erden ein!
R e y e n. O Weh! O Pein!
J u l i a. Bruder-Mörder! Vater-Feind! Mutter-Hencker!
                      Rechts-Verterb!
Menschen-Pest! Gesetz-Verlacher! Laster-Fürst! Cocytus
                      Erb!   300
Sohn der schwartzen Rasereyen! die dich mit Nattern-Gifft
                      genähret!
Alecto hat dir Jhre Schoß / Tysiphone die Brust gewehret!
Drachen-Blut hat dich getränckt! Basilisken-Fleisch
                      gespeist!
R e y e n. O Schmertz! der unaußsprechlich beist und reist!
J u l i a. Götter! schaut Jhr dises an!   305
Schaut Jhr und mögt ruhig sitzen?
Ist kein Stral der treffen kan?
Waffnet Jhr Euch nur umbsonst mit den Donner-
                schwangern Blitzen /
Oder tragt Jhr Eure Pfeil' auff die Laster-losen Eichen?
Oder kan diß Mord-Geschrey nicht an Eur Gehöre reichen? 310
R e y e n. O Weh! O Ach!
J u l i a. Heilge Themis! Rach! O Rach!
Heilge Themis! wo du nicht

Vor gekrönte taub und blind;
Wo noch jemand Urthel spricht;   315
Wo noch eine Straffen sind;
Blitze! verhere! zustöre! verbrenne!
Wüte! verterbe! verwüste! zutrenne!
Reiß alle Grundfest umb auff die der Mörder baut!
Zuschmetter was Jhn schützt! zustoß auff was er traut!   320
R e y e n. O Weh! O herbes Weh!
J u l i a. Schau' ab von deiner Höh!
Schaw weiland mein Sever, numehr der Römer Gott!
Ja wol! Gott sonder Macht! dein Kind mein Sohn ist tod!
Soll man mit räuchren dich in so viel Tempeln ehren?   325
Und kanst nicht auff dein Blut / auff Julien nicht hören?
Ist diß was meinem Fleisch / was Mir dein Mund
                              versprochen?
Ist dises Reich und Cron?
Beherrschest du die Welt? Und lässest ungerochen
Dein' Eh-Gemahl und Sohn?   330
R e y e n. O jmmer-neues Leid! O unerschöpffte Schmertzen!
J u l i a.
Wehm geht jhr Sterblichen mein Hertzeleid zu Hertzen!
Ist jemand der nicht weiß was Zepter und Paläste /
Der komm' und blick uns an! Wir sitzen Demant-feste /
Umbringt mit glantzem Stahl; verwahrt mit Tausend
                              Wehren /   335
Umbschrenckt mit strenger Macht / beschützt mit Tausend
                              Heeren /
Biß sich das schnelle Rad umbwendet
Und ein schneller Augenblick
Die Herrli[ch]keit in nichts: Die Cron in Band und Strick
Die Ehr' in Schmach / die Lust in tiffste Schmertzen endet. 340
R e y e n. Ach! hochgestürtzte Fraw!
J u l i a.   Ach hochgestürtztes Kind!
Mein Geta! meine Lust! mein herrschen und mein hoffen!
Ach hätt' uns doch vor dich der raue Schlag getroffen!
Ach leider! Ich empfind

Nur mehr denn vil was eine Mutter sey!   345
Man stiß mein Hertz durch deine Wund' entzwey!
Mein eigen Blut sprützt vor auß deinen grimmen Wunden!
Ich fühle deine Qual! dich hat der Tod entbunden.
Dein Antlitz lebet noch / in dem das mein erblast;
Der Wangen Purpur stralt; weil mich der Tod umbfast.   350
Wahr ists! ich fühl' an dir die Adern nicht mehr spilen /
Was machts? Ich bin erstarrt / und fühle nicht mich fühlen.
O! könt Ich Niobe!
Mich plötzlich und noch warm in rauen Marmel schlissen!
O könt ich Salmacis in Threnen-Ströme flissen!   355
R e y e n. O Weh! O Weh!
J u l i a. O Blume deiner Zeit!
    Deß hohen Vaters Wonne!
    Der weiten Länder Freud und deiner Mutter Sonne!
    Du Bild der Freundli[ch]keit!   360
    Wirst du / in dem Morgen-Taw so entblättert und
                    zutreten!
    Ach gebährst du solches trauren deinem Rom und allen
                    Städten?
    Kanst du angenehmes Licht / nicht biß auff den Abend
                    stehn
    Must du eh der Tag sich theilet finster-bluttig untergehn?
R e y e n. O rauer Untergang! O Uhrsprung harter Nacht!   365
J u l i a. O Nacht! die uns zu früh' auß jhrer Klufft erwacht!
    Die uns mit Finsternüß und schwartzem Dunckel decket!
    Und mit Qual / Angst / und Furcht / Gespenst und rasen
                    schrecket.
    Was thu / was fang ich an?
    Was schreibt dein Blut mir vor / ob dem die Erd' errötet!   370
    Ich kan und bin behertzt zu tödten / der getödtet /
    Ich eil! Ich wil! Ich kan!
    Durch deß Verräthers Tod den Bruder-Mord versöhnen /
    Auff Läger! Läger auff! wer kan die That beschönen?
    Die Bassian verübt? Auff Läger! steht mir bey!   375
    Eur Fürst / Eur Geta rufft! hört auff sein Mord-Geschrey!

Auff! waffnet Euch / die Jhr dem Fürsten theur
                              verschworen!
Dem Fürsten! den (Ach!) Ich zu herrschen nicht geboren!
Betrübtes Rom! der dich zu schützen dachte:
Verblutet und erstarrt.   380
Bestürtztes Rom! komm schaw doch und betrachte;
Was dein Fürst' in dir erharrt.
O wer die Colcher! O! wer Haemus raue Wälder /
Wer Schyten! wer den Pont / und der Cyrener Felder
Vor deine Pracht erwehlt!   385
Wer der Cimmerier uns nicht entdeckte Steine /
Wer Celten, wo es der geopfferten Gebeine
An Feur und Grabe fehlt
Für deinen Hof erkist. Du sahst es ja vorhin
Der du uns zu weichen rithest! Ach zu spät! nun glaub
                              ich dir!   390
Uns war Sinn' und Witz verblendet / das Verhängnüß hilt
                              uns hir.
Mich / Mich vor allen / die deß Unheils Ursach bin!
Was red' Ich und mit wehm? Kommt schwartze
                              Rasereyen!
Jhr Töchter jener Nacht! entdeckt eur Schlangen-Haar!
Es wil noch Gott / noch Mensch uns einig Ohre leihen!   395
Kommt steckt umb dise Baar
Die Jammer-Fackeln an / steckt an mit Grimm und
                              wüten /
Der Mutter feige Seel / deß Mörders Geist mit zagen /
Denn Hof mit Durst nach Blut / trotzt Menschen diß zu
                              wagen /
Was selbst dem Laster nicht erlaubt von Euch zu bitten.   400
Fegt Schmach mit Meyneid ab / Ich leih Euch Hertz und
                              Hand!
Führt heut ein Traur-Spil auß / daß wer durchs weite
                              Land /
Von unserm Jammer hör't auch ob der Rach erschrecke /
Und sein ertäubtes Ohr und starrend Auge decke /

Der unbesonnen' Anfang müß auff ein so kläglich End'
außgehn 405
Ob dem versteinten Völckern auch die nassen haar zu
berge stehn!

Julia. Reyen deß Frauenzimmers. Thrasullus.

Thrasul.
  Durchläuchtigst ich bekenn': es ist was frech gewaget
  Daß Ich mich untersteh / Sie / die die Welt beklaget /
  Daß Ich mich untersteh / weil noch der Donnerschlag
  Der disen Augenblick auff Jhren haaren lag / 410
  Durch alle Zimmer kracht; weil Sie sich kaum kan regen /
  Noch minder starrend weiß Jhr Leid zu überlegen;
  Durch Red' und Gegenwart zu hindern jhr gewein.
  Wenn Hertz und Seele weg / geht uns kein trösten ein
  Durchlauchtigst'. Ich der stets geflissen Jhr zu dinen / 415
  Bin Jhr zu Dinst / mit Jhr zu klagen / hir erschinen.
  In dem die grosse Stadt geheul' auff heulen häufft /
  Und sich ob disem Fall in Threnen gantz vertäufft.
Julia.
  In Threnen! weil der Fürst in Fürsten-Blut uns badet.
  Doch numehr hats ein End' / ein Wetter hat geschadet 420
  So hefftig: Daß kein Sturm uns mehr verletzen kan!
  Schaw wo Sever uns liß! schaw unsre Zepter an!
  Schaw endlich unsern Sohn! ja unsers Sohnes Leichen!
  Könt auch ein grösser Schmertz ein grösser Weib
                  erreichen?
  Ist diß das hohe Glück / ist diß deß Himmels Schluß 425
  Der Cron' auff Cronen gab? Furcht / Kummer / Noth /
                  Verdruß /
  Neid / Argwohn / falsche Freund / Zanck / zagen / nichtig
                  hoffen;
  Ist was wir in dem Thron statt wahrer Schätz' antroffen.
  Doch was uns einig lib / was je das Hertz erquickt /
  Was über Cron und Thron ligt hir zerschellt / zerstückt / 430

Zerschmettert und zerstäubt! O wer mit dir entbunden!
O Fürst! und seine Ruh durch deinen Stich gefunden!
Thrasul.
　　Der schmertzlich Anblick ritzt die Wunden weiter auff
　　Und greifft sie schärffer an / der milden Zehren lauff
　　Ergeust und wil durchauß sich mit dem Purpur mischen /　435
　　Der auß den Brüsten strömt: Last uns das Blut abwischen!
　　Das als Corallen-äst an allen Glidern klebt.
　　Komm du bethrentes Volck: Kommt Jungfern / tragt und
　　　　　　　　　　　　　　　　　hebt
　　Den / der das Reich erhob / der alle Last ertragen /
　　Die unerträglich schien. Entfernt der Mutter zagen　　　440
　　Deß Sohns entseelte Leich. Geht! geht! schafft Nard und
　　　　　　　　　　　　　　　　　Wein!
　　Und hüllt den reinen Leib mit Myhr und Balsam ein /
　　In Stück-werck weiser Faust / zirt die gekrönten Haare
　　Mit Palm und Lorber-Laub / schmückt die bedeckte Baare
　　Mit euren Flechten auß. Princess' ich sucht allein　　　445
　　Auff zwey / drey Wort / Jhr Ohr: Ich bote neuer Pein /
　　Und Bürge neuer Lust. Sie dencke was zurücke!
　　Bin Ich nicht der vorlängst das ungeheure Stücke
　　Auß Jhren Sternen las? Und Jhr den fall entwarff
　　Den vor deß Fürsten Grimm kein Mensch beklagen darff?　450
Julia.
　　Wahr ists! du bists der uns deß Käysers Eh versprochen /
　　Und eh Severus Stul durch seinen Tod zubrochen
　　Uns früh sein End entdeckt! ach aber! diser Schlag
　　Ist was ich nie gefurcht und noch kaum glauben mag.
Thrasul.
　　Princesse warnt Ich nicht daß Geta bald würd' enden.　455
Julia.
　　Doch wer entsetzte sich vor Kind und Bruders Händen?
Thrasul.
　　Daß Jhn ein mördlich Stich solt opffern seiner Baar.

---

443 Stück-werck = Stickerei; vgl. Grimm 10 IV 254 ^{2}Stückwerk und Grimm
10 II (2. Teil) 2754.

J u l i a. Wahr ists. Doch scheuten wir nichts / denn nur
Krigs-Gefahr.

T h r a s u l. Durchlauchtigst': Jtzt ists Zeit für Heil und
Haubt zu wachen.

J u l i a.

Zu wachen nun mein Schatz und gut in Todes-Rachen!   460

T h r a s u l.

Sie hat noch mehr denn vil / das auff der Wage steht.

J u l i a.

Reich / Cron und Sohn ist hin! und was nicht hin / vergeht.

T h r a s u l.

Sie hat noch Reich und Sohn und Leben zu verlieren.

J u l i a.

Der Mörder lasse mich nur bald zur Schlacht-Banck führen!

T h r a s u l. Princeß Sie linder was / den hart erhitzten Mut.   465

J u l i a. Den durch und durch erhitzt deß Kindes heisses Blut.

T h r a s u l. Sie schon' Jhr eigen Blut unnötig zu vergissen!

J u l i a. O könt es dise Stund' auß allen Adern flissen!

T h r a s u l.

Es bringt den Fürsten nicht auß Ditis Klufft zurück.

J u l i a. Er führt in Ditis Klufft all unser Heil und Glück.   470

T h r a s u l. Jhr blüht ein grösser Glück / wo Sie den Sturm
kan meiden.

J u l i a. Und haben wir noch was nach disem Leid zu leiden!

T h r a s u l.

Ja wol! die Wolck ist noch mit einem Stral gefast.

J u l i a. Was dräut der Himmel denn vor eine neue Last?

T h r a s u l. Er dräut Jhr Ach und Tod wo Sie den Schmertz
läst blicken.   475

J u l i a.

Wie kan ein blutend Hertz so raue Qual verdrücken.

T h r a s u l. Geduld! hir muß es seyn wo Nero Zepter trägt.

J u l i a. Hört Götter jener Welt! was wird uns aufferlegt.

T h r a s u l.

Hir / hir steht Agrippin, wo Sie nicht kan verschmertzen.

J u l i a. Wie? soll denn Julie mit disem Traur-Spil schertzen?   480

T h r a s u l. Fürstinnen kommt was mehr denn schlechten
Müttern zu.

J u l i a. Deß Pövels Mutter hat mehr denn Princessen Ruh.

T h r a s u l.
Fürstinnen suchen Nutz auch auß Verlust zu erben.

J u l i a.
Nutz mehr denn vil vor uns / wenn Wir gerochen sterben.

T h r a s u l.
Das Glück beut Jhr die Rach mit Rom und Zepter an.   485

J u l i a. Es fahre Rom und Reich wenn man sich rächen kan!

T h r a s u l. Sie traw auff meine Wort' und hemme Schmertz
und Zehren!

Der Haubtmann so den Leib deß Fürsten wird begehren!

Hat Macht; wofern Sie muckt auff Jhren Hals zu gehn!

J u l i a.
Der grimme Zorn reist auß / die weiche Threnen stehn!   490

So steht dem Mörder frey auff Tygers Art zu wüten?

Und uns wird nicht vergont die Wehmut außzuschütten /

Gedoppelt grimmer Grimm! er raubt dem Bruder Zeit!

Den Freunden letzte Gunst! und uns Empfindli[ch]keit!

Wo sind Wir!

T h r a s u l.   Werthe Fraw Sie lasse sich bewegen.   495

J u l i a. Wol! wol! du bist erhört / last uns das Leid hinlegen

Das schlecht und weibisch steht / das Hertz ergrimmt und
klopfft

Stirn / Wang' und Auge feurt / wie wenn die Lufft
verstopfft

In unter-jrrdsche Gäng' und keinen Außfall kennet

Biß die erhitzte Glut durch alle Klüffte brennet   500

Und Fels und steile Berg' / und gantze Städt umbreist /

Und Menschen / Flamm und Graus biß in die Wolcken
schmeist.

Klagt alle den man nicht die Threnen kan verschrencken!

Wir suchen Geta dir was mehr auffs Grab zu schencken.

Der Cämmerer. Julia. Thrasullus.

C ä m m e r e r. Fürstin / Cleander kömmt mits Käysers
                                    Cammer-Wach!   505
J u l i a.
  Deß Laetus höchster Feind! mehr denn gewüntschte Sach!
T h r a s u l. Jtzt / jtzt / ists Zeit den Grimm der Schmertzen
                                    was zu zwingen.
J u l i a.
  Bleib unbesorgt. Wir sind entschlossen durch zu dringen
  Wohin der Himmel rufft. Jhr Götter jener Welt
  Jhr Kräffte die das Reich der untern Kercker hält /   510
  Führt meinen Anschlag auß. Was ist Jhm anbefohlen?
C ä m m e r e r.
  Er wil auffs Käysers Wort deß Fürsten Leich abholen.
J u l i a.
  Man leit Jhn durch den Saal wo unser Volck sich müht
  Umb Grab-Schmuck zu der Blum die vor der Zeit verblüht.
  Wir folgen auff dem Fuss' erbötigst Jhn zu hören!   515
  Dir Rach thu einig Ich diß was ich thu zu ehren.

Reyen der Themis und der Rasereyen.

*Themis steigt unter dem Klang der Trompeten auß den
Wolcken auff die Erden.*

T h e m i s.   Der Greuel ist vollbracht
                  Der ernsten Rache macht
                  Soll auff die That einbrechen!
                  Man wird durch Sud und Nord /   520
                  Von disem Bruder-mord;
                  Mehr von der Straffe sprechen.

                  Das umbgesprützte Blut;
                  Erfodert Schwerdt und Glut.
                  Ich werd ein Traur-spil stifften:
                  Das mit gewalt und leid /

Wird die bestürtzte Zeit /
Erschrecken und vergifften.

Der Bruder-Mörder fällt /
Zu Hohn der grossen Welt /   530
In tiffer Sünd auß Sünden.
Doch muß Ich vor sein Hertz
Mit ewig heissem Schmertz
Erfüllen und entzünden.

Du steh Papinian!   535
Sih kein bedräuen an!
Erschrick vor keinem tödten!
Durch das gezuckte Beil;
Erlangst du Ruhm und Heil /
Und weichst den grimmen Nöthen.   540

Er schadet sich / nicht dir
Weil Er / was für und für
Hat vor sein Haubt gestanden;
Von seiner Seiten stöst /
Und sich dem Dolch entblöst   545
Der schon vor Jhn verhanden.

Reiß Ditis Klufft entzwey!
Kommt Schwestern alle drey!
Jhr Wolcken lasst mich nider.
Kommt Rasereyen vor!   550
Kommt auß der Höllen Thor!
Mir ist Verzug zu wider.

Reyen der Rasereyen.

Kommen auß der Erden hervor.

Höchstes Recht der heilgen Welt!
Schaw man stellt sich willig ein.

Was Cocytus noch verhält: 555
Wil dir stracks zu Dinste seyn.
Soll man Reich und Reich verheeren?
Soll man Städt' in nichts verkehren?
Soll man Thron und Zepter brechen?
Soll man Recht' und Satzung schwächen? 560
A l e c t o. Wohin wilst du daß ich eil?
Grimm und Fackel ist entbrant.
T i s i p h o n e. Fürstin hir ist Flamm und Pfeil!
Worzu brauchst du meine Hand?
M e g a e r a. Schaw wie sich die Schlange wind' 565
Mehr durch deine Blick' erhitzt
Gifft ist / Feindin aller Sünd /
Was von meiner Scheitel schwitzt.
A l l e D r e y. Dir Heiligste zu dinen
Sind wir bereit erschinen. 570
G e r e c h t i g k e i t.
Das grosse Rom erstarrt / ob seinem Bassian.
Sein Bruder fil durch Jhn; fallt jhr den Mörder an.
Er tödte was Jhn trib diß Schand-Stück zu begehen.
Er tödte was Jhm trew / durch den sein Reich kan stehen.
Entsteckt den tollen Geist mit Höllen-heisser Brunst 575
Er suche (wo Jhr wist und Ich nicht nenne) Gunst.
Er zag ob jdem Blat und beb ob seinen Thaten.
Und fall auff eignen Mist / tod / blutig / und verrathen.
A l l e D r e y.
Wir gehn behertzt dein wollen zu vollbringen.
So müsse Thron und Cron in Stücken springen! 580
So zitter ob der Straffe schweren Pein
Wer Heilge dir mag widerspenstig seyn.

Themis steiget unter dem Trompeten-Schall wider in die
Wolcken.

Die Dritte Abhandelung.

Bassianus und der 1. Hauptmann ausser dem Gemach.

Ach Bruder! Ach Sever! Ach Mutter! Ach geschehn!
Soll denn das grosse Rom den andern Nero sehn!
Wer sind wir und wohin ist unser Ruhm verschwunden!
Verschwunden! Ach! Er starb durch unsers Bruders
          Wunden!
Verbracht und nie bedacht! und zwar durch unser Hand   5
Den Bruder-Mord verübt! was wird das ferne Land /
Wie wird das weite Reich die Unthat überlegen!
Was frembde Völcker wird nicht diser Schlag bewegen?
Gesetzt daß Geta sich zu etwas hätt erkühnt;
Ja daß er Lebens-Straff und Untergang verdint /   10
Muß sein verwandtes Blut denn dise Faust beflecken?
Muß seinen Mißverstand mein eigne Schmach verdecken?
Ha! Zepter theur erkaufft! Ha! Purpur-rot von Scham!
Rot von deß Brudern Blut! wir sind dem Leben gram
Das sich vor sich entsetzt! Ach! gar zu bald vollzogen;   15
Was nicht zu ändern steht! vollzogen; nie erwogen /
Als nach verübtem Werck! und soll man weiter gehn?
Kan wer gefrevelt hat nicht in dem fallen stehn?
Ach nein! wer einmal schon berg'-ab ins lauffen kommen;
Wird wider will' und macht vom rennen hingenommen /   20
Biß daß Er über Hals in tiffe Thäler stürtzt /
Und in Morast und Sumpff deß Lebens Zil verkürtzt.
Wer traut uns künfftig mehr? Wehm können wir vertrauen?
Wenn nicht das nechste Blut könt auff uns sicher bauen?
Das durch uns selbst verfil / und vilen dises dräut   25
Was wir gezwungen thun / und uns nicht minder reut /
Weil Stat und Noth uns zwingt / umb Rache zu verhüten:
In diß was Geta treu' / und jemals lib / zu wüten.
Ach Götter! ach was Rath! ach Bruder! ach Geduld!
Verzeih betrübter Geist / es war nicht unser Schuld!   30

Es war zwar unser Schuld / doch wurden wir getriben /
Durch die / die Eigen-nutz mehr denn den Fürsten liben.
Durch die / die wider dich zum Eyver uns erregt /
Und Jhr selbst eigen Feur zu diser Brunst gelegt.
Durch die / die was Sie uns lib dachten / vorgepfiffen.   35
Die sich durch dise Thurst an unserm Ruhm vergriffen.
Wir sehns! doch nun zu spät! ach übel sonder Rath!
Auff Geist! ermunter dich / gib bey der frechen That
Noch einer Tugend Rest der nach-Welt zu erkennen.
Sie mag dich wie sie wil / und billich grausam nennen   40
Doch füge sie darzu; daß Bassian verspürt
Daß Er durch falsche Räth' auff eine That verführt /
Die er zu straffen sucht. Diß ist das schändlich' Eisen /
Dem aller Zeiten Zeit den Greuel wird verweisen.
Es fahr in Laetus Hertz! halt inn'; es ist zu gut.   45
Mischt deß Verräthers nicht / mit unsers Bruders / Blut
Das auff der Klingen starrt / hir sind noch neue Dolchen /
Hir Lybisch Gifft / gestärckt mit safft ergrimmter Molchen.
Geh Blatter dises Hofs! wir lassen dir die wahl /
Vor den verfluchten Rath. Nihm Becher oder Stahl!   50
Weil sich die That nicht läst in Lethe strohm versencken;
Soll durch die mittel man Jhr unverfälscht gedencken.
Schaw her auff deine Rach / du seyst auch wo du seyst:
Dein erster Tod-feind ligt / du hast entleibter Geist
Mehr Mittel / jtzt die Feind' / als lebend / auffzureiben.   55
Stracks Haubtmann.

Haubtmann.   Grosser Fürst.

Bassian.   Man bring uns Zeug zu schreiben
Stell' unsern Briff alsbald / und selbst / dem Laetus zu /
Mit dem verdeckten Gold / und / daß er eilend thu /
Was wir zu recht erkennt.

Haubtmann.   Mein Fürst; es soll geschehen
Cleander sucht verhör.

Bassian.   Cleander mag uns sehen.   60

36 Thurst = Kühnheit, Entschlossenheit; auch Verwegenheit, Keckheit.
Mhd. turst. Vgl. Grimm 2, 1746.

Cleander. Bassianus.

Cleander. Was mir der Fürst vertraut / ist / und nach
                                        Wuntsch / verricht.
  Der Hof ist höchst-bemüht die letzte Todten-Pflicht
  Der abgeholten Leich' auffs prächtigst' abzulegen.
  Die Mutter selbst beginnt den Unfall zu erwegen /
  Und klagt mit mehr Verstand als man vermuten kan /   65
  Und Frauen sonst gewohnt / bloß das Verhängnüß an.

Bassian.
  Meld' / und verhöl uns nichts wie Sie dich hab empfangen.
  Ob Sie: wie und wie fern / mit Worten sich vergangen /
  Mit kurtzem: Jhr Geberd'. Ein schweigend Aug' entdeckt
  Offt mehr / denn Furcht und Zwang und stummer Mund
                                        versteckt.   70

Cleander.
  Alsbald man Jhr vermeldt daß ich deß Fürsten willen /
  So vil die Leich antrifft / erschienen zu erfüllen;
  (Ich schwer' / und bey dem Heil deß Käysers / daß Ich
                                        nicht
  Noch jemand was zu leid / noch Jhr zu lib' erdicht.)
  Hat man mich auff Jhr Wort geleitet / wo die Schaaren   75
  Der Frauen umb den Leib deß Fürsten embsig waren /
  Wie die bemühte Schwarm wenn sich der Tag verjüngt /
  Umb frischen Klee / Camill und reine Rosen dringt.
  Theils reinigten vom blutt die nun erblasten glider /
  Theils wusch / theils netzte sie mit milden Threnen wieder / 80
  Theils mischten Nard' und Myhr' und Socotriner Safft /
  Und streuten Weyrauch in deß Balsams feiste Krafft /
  Theils seufftzten überlaut / und schlugen Arm und Brüste:
  Theils suchten Schmuck und Zeug zum letzten Traur-
                                        Gerüste /
  Biß die Princesse selbst sich in das Zimmer fand /   85
  Die / das noch nicht in Eil / verwechselte Gewand

---

82 feist = schwer, zäh, fett. Vgl. Grimm 3, 1470.

Vom Haubt biß auff den Fuß mit schwartzer Seid
                              umbhüllet:
Da sich der gantze Saal bloß auff jhr wincken stillet.
Sie saß / doch war jhr Haubt Mir seitwerts abgewand.
Und die betrübte Stirn lehnt auff der rechten Hand.   90
So bald Ich / was der Fürst Jhr durch mich an-liß sagen /
Der ernsten schweigenden umbständlich vorgetragen;
Strich Sie das schwartze Tuch von Jhrem Antlitz hin /
Das durch die Finsternüß des traurens heller schin /
Wie wenn Dian bey Nacht auffgeht mit vollem Lichte;   95
Und sprach mit etwas mehr ermuntertem Gesichte:
Der ungeheure fall' und was jhr schrecklich acht /
Und frembd' und unerhört ins Pövels Ohren kracht /
Kommt uns nicht unverhofft. Als der die Welt erblicket;
Umb den man jtzund traurt: Ward Jhm der Tod
                              beschicket.   100
Es wuste schon Sever eh Jhn der Götter Schaar
Auß unsern Armen riß daß Geta kurtze Jahr
Zu herrschen angesetzt. Uns ist er stets verstorben:
Biß unser Furcht jhr End' in seinem End' erworben /
Die nun nichts weiter sorgt. Zwar eine Mutter schmertzt   105
So rauer Untergang! doch Julie behertzt;
Daß ungemeines Glück leid' ungemeine Stösse /
Und überlegt den Schlag nach Jhrer Hoheit Grösse.
Hat das Verhängnüß uns in Römschen Thron gesetzt;
Hat der uns / der nun Gott / der Ehe werth geschätzt;   110
Liß er den Antonin als eignes Kind uns küssen:
Beschauten wir die Welt vor unsers Sohnes Füssen:
Und solten / nun die Zeit nichts höhers vor uns weiß /
Beklagen / was uns läst? Die baut auff schwaches Eiß /
Und ist nicht Zepters werth: Die weil Sie Zepter träget /   115
Was werther hält als sich. Die Erde wird beweget
Das Stirnen-Band zureist. Man bringt die Todten-Baar
Für Kinder / für Gemahl / für Freunde. Ja die Schaar
Der Libsten wechselt offt und freut sich zu verletzen:
Vor die Sie vor den Hals entschlossen auff zu setzen.   120

Ein unverzagt Gemüt steht wenn der Himmel fällt /
Und steigt im Untergang / und trotzt die grosse Welt.
So / ob die Mutter zwar verleurt was Sie geboren:
Hat Julie doch nichts bey der Verlust verloren.

B a s s i a n.
Unendlich grosser Geist / und grössern Glückes werth!   125

C l e a n d e r.
Das (fuhr sie fort) der Fürst deß Cörpers Rest begehrt:
Ist vil vor uns / und den der (wo er ja geglitten /
Auß Unverstand und Wahn) so raue Straff erlidten!
Cleander, wir gestehn / es mag nicht alles fein /
(Was unser Kind verübt) und ohne Zusatz seyn.   130
Doch war der Jugend vil / und Zungen die uns treiben /
Und eingebild'tem Wahn nicht wenig zuzuschreiben.
Auß Vorsatz hat man nie deß Fürsten Zorn erregt.
Wo durch diß Opffer nun die Schuld nicht außgefegt;
So stehen wir bereit / was Er verbrach / zu büssen /   135
Und willig unser Blut die Stunde zu vergissen.
Wo aber (wie du sagst) der Fürst als unser Kind /
Noch was von minster Hold vor seine Mutter find:
So meld' Jhm: Daß vor Jhn mehr Kummer an uns setze;
Als jemand meynt / das weh uns umb den Fall verletze.   140

B a s s i a n. Wie? Kummer! und vor uns?

C l e a n d e r.   Fürst Geta, (sprach sie) ligt /
Nicht durch deß Brudern Faust. O nein! er ward bekrigt
Durch Meuchelmörder ränck. Es war deß Laetus zungen /
(Nicht Antoninus Stahl) die Jhm die Brust durchdrungen.
Er ists! der längst auff uns das scharffe Schwerdt gewetzt.   145
Er ists! der Fürst' auff Fürst' und Blutt auff Blutt verhetzt!
Er ists! der seinen Grimm durch Fürsten auß kan führen /
Durch den die Mutter / Kind / und Sohn den Ruhm
                                   verliren /
Der Antonin in Haß / und uns in Wehmut stürtzt /
Der Antoninus Ehr und Getae Zeit verkürtzt.   150

B a s s i a n.
Ach leider! grosse Fraw! du hast den Zweck getroffen!

Ohn Laetus reitzen war der Unfall nicht zu hoffen!
Ach freilich! Laetus ists! der zu dem Stück uns trib.

Cleander.

Wo du noch (sprach sie) trew / wo dir Severus lib;
Der nun in Antonin und unser Seelen blühet / 155
Trag diß dem Käyser vor: Daß ob er jtzt nicht sihet /
Was Laetus vor jhn spinnt / doch endlich unsern Rath /
(Helfft Götter! daß nicht nur nach schon verübter That!)
Wird / ob wir auß der Welt / vor Welt und Göttern preisen.
Geht! geht! tragt Getam fort! der Feind schlefft Dolch
und Eisen! 160
Auff dich mein Antonin! geht! Geta! gute Nacht!
Nim Antonin dich selbst / (weil Geta fällt /) in acht!
Sie wolte noch was mehr / als Sie vor Threnen-rinnen;
Vor seuffzen und geschluck kein Wort außdrucken können.
Doch da der Diner Schaar / das Leich-Bett jtzt ergriff: 165
Wand Sie sich umb die Baar. Küst Getam offt und rieff:
Mein Kind! Mein Sohn! Ade! Was muß Ich nicht verliren!
Man soll dich / werther Fürst / in dein Begräbnüß führen!
Und dich mein Antonin verführt der falsche Geist!
Zu beyder Untergang! geht die Jhr trew / und reist 170
Deß Ertz-Verräthers Hertz in tausend / tausend Stücke /
Geht! greifft den Mörder an: Er fall in seine Stricke /
Die er Sever dir noch in deinen Söhnen legt /
Geht! wo euch unser Angst unds Fürsten Ruhm bewegt;
Und bringt statt diser Leich' und nun erstarrten Glider / 175
Mir / auff deß Fürsten Wort / den Ertz-Verräther wieder.
So zehle Bassian unendlich lange Jahr!
Der Himmel leg' Jhm zu was uns noch übrig war!
Und was der Parcen Faust dem Bruder abgerissen /
Er herrsche! daß Jhm Schyt und Parthen dinen müssen! 180
Und daß die Welt von Jhm mit vollem Ruhm außschrey:
Daß Er selbst herrsch' und nicht der Knechte Diner sey.

Bassian.

Ob Rache zwar und Furcht die strengen Worte führen:
Doch können wir so vil an Laetus Werck verspüren /

Daß er was ferner such' als seines Fürsten Heil.   185
Drumb hat er jtzt von uns schon sein bescheiden theil.
Weil dennoch Julie so embsig es begehret;
So werd Er (wo Er lebt) zur Straff Jhr stracks gewehret.
Hat aber Er der Zeit sich etwa schon beraubt:
So legt vor Jhren Fuß sein abgeschmissen Haubt.   190
Eilt Haubtleut: Und vollziht was Wir zu thun gebitten!
Uns dünckt umb frembde Red' und Urtheil zu verhütten
Höchst-nötigst: Daß die Leich' (auffs prächtigst als man kan)
Werd' auff die Glut versetzt. Man zeig unfehlbar an;
Daß Bürgermeister / Rath und Ritterschafft sich finde: 195
Daß man Cypressen-Sträuch' umb alle Gassen winde /
Daß man die Tempel schliss' und nichts was möglich sey
Zu leisten unterlass'. Alsbald das Leid vorbey;
Soll in der Götter Schaar den Bruder man erheben /
Durch Adler / Flamm' und Zelt. Rom soll Jhm Tempel
                                        geben /   200
Und Prister / und Altar / und Denckmal / Schild und Bild /
Diß sey des Probus sorg. Wir wollen alle mild'
Für angewendten fleiß mit Ehr und Gut bedencken.
Daß sich die Läger nicht auff frembde Sinnen lencken:
Muß man / wie hoch und offt der Bruder uns verletzt /   205
Wie frech und hefftig Er sich heut' uns widersetzt /
Und ungescheut gesucht zu tödten und zu fällen /
Uns selbst / und was uns hold; dem Heer vor Augen
                                        stellen.
Diß ist das gröste Werck. Hir dint Papinian,
Das Wunder unsrer Zeit. Cleander zeig jhm an   210
Daß Er / (auff dessen Trew wir einig uns verlassen)
Uns bald die Red' an Rath und Läger woll' abfassen.

                    Laetus. Sabinus.

S a b i n u s.
    Der Antoninen Haus / bricht von sich selbst entzwey.
    Der trotze Bassian wird zwar deß Brudern frey;

Doch schwächt er seine Macht / und hat die Seit'
entblösset / 215
Für jeden / der auff Jhn mit frischer faust loß stösset.
Er steht auff seinem Fall. Wer jtzund herrschen wil
Der räche disen Tod. Scheins mehr denn nur zu vil!
L a e t u s. Wahr ists! wir sind numehr dem Thron umb so
vil näher.
Doch muß man vor sich sehn / je höher Berg' / je gäher. 220
Wir haben sonder Ruhm nicht kleinen Ruhm erjagt:
In dem durch alle Fäll / Hertz / Leib und Blut gewagt.
Der Scheitel ist uns schir mit Silber-Haar bedecket.
In dem wir vor dem Feind' in Stahl und Ertz gestecket.
Rom kennt woher wir sind. Der Rath kennt den Verstand / 225
Das Läger unsern Mut / das Volck die milde Hand.
Wir sind die ersten nicht die bloß durch Mut in Sigen /
Und durch der Völcker Hold deß Caesars Stul bestigen.
Mit kurtzem: Laetus ist der vor Severus war!
Ohn / daß er zu dem Reich bringt mehr bequeme Jahr. 230
S a b i n u s.
Bequemer als Sever; der / als die Kräfft entgangen
Und Mut und Stärck' hinweg; zu herrschen angefangen.
Dem die bereiffte Zeit gab Spornen vor Gebiß /
Und murrisch' Ungeduld vor Jugend hinterliß.
Bequemer als sein Blut / das in erhitztem rasen 235
Schir neuen Bürger-Krig durch zwytracht auffgeblasen /
Das nun mit Bruder-Mord den Fürsten-Hof befleckt /
Das mit so rauem Fall die grosse Welt erschreckt.
L a e t u s.
Diß bleib an seinem Ort! man laß uns recht erwegen;
Was noch am wege steh' und wie es hin zu legen. 240
S a b i n u s. Der Fürst kan nach der That deß Throns nicht
würdig seyn.
L a e t u s.
Diß ist die minste Sorg' und gar nicht was Ich meyn'.
S a b i n u s.
Die Mutter ist vilmehr auff strenge Rach gesonnen.

L a e t u s. Wer Getam rächen kan: Hat Julien gewonnen.
S a b i n u s. Ich sehe weiter nicht / wer so vil hindern kan.   2
L a e t u s. Ich einen! der zu trew!
S a b i n u s.   Wer ists?
L a e t u s.   Papinian!
   Ohn disen hätte nie der Glantz der Antoninen
   In Purpur von dem Thron durch alle Welt geschinen.
   Ohn disen hätte nicht biß auff die letzte Nacht /
   Sever so lange Jahr in stoltzer Ruh verbracht.   2⁵
   Daß Bassian biß heut' in voller Macht gesessen;
   Daß Geta nicht vorlängst mit Nam' und Leib vergessen;
   Daß nicht das grosse Reich in heller zwytracht brennt:
   Daß Rom noch einen Rath und eine Freundschafft kennt:
   Daß Bassian vorhin wie bißher sicher blieben: 2⁵
   Werd einig disem Mann von allen zugeschrieben!
S a b i n u s.
   Wahr ists! Er hat gar offt den Bruder-Zanck verwehrt!
   Er hat der Läger Haß in lauter Gunst verkehrt.
   Er hat was jtzt verbracht / biß jtzund hinterzogen /
   Ja blib dem Bassian und Geta gleich gewogen.   26
   Ob schon Verwandschafft Jhm den Einen mehr verband;
   Ob schon der ander Jhm ging besser an die Hand;
   Wie wird Er aber jtzt zu disem Mord sich stellen?
L a e t u s.
   Wo Bassian nicht schlägt; wird Jhn doch Geta fällen.
   Unmöglich daß Er nicht hir sein Gemüt erklär.   26
   Ob er dem Mörder hold / ob Getae Tod beschwer.
   Er wird (kenn Ich Jhn recht) so wenig jenes toben
   Als dessen Untergang (vor wem es seyn mag) loben.
   Geh' eilends und ergründ' höchst-klagend sein Gemüt.
   Merck auff / was er vor Wort in erstem Sturm' außschüt.   27
   Auch die / die gantz durchübt Jhr Hertze zu verstecken:
   Entdecken Seel und Sinn bey unverhofftem schrecken.
   Man wird auß seiner Red' und Meinung stracks verstehn;
   Wie mit Jhm uns zu nutz in künfftig umbzugehn.

Laetus. Ein Käyserlicher Haubtmann. 1.

H a u b t m a n n. Der Käyser schickt Jhm / Herr / sein
                         eigenhändig Schreiben / 275
  Und was diß Gold verdeckt / und schafft mir anzutreiben:
  Daß disem / was er heischt / in Eil genung gescheh.
L a e t u s. Trit ab / biß daß Ich mich was in dem Briff erseh.
  Der Käyser zweiffle nicht! Ich bin bereit zu dinen.
  Ja vor Jhn mich in Noht und sterben zu erkühnen.   280
H a u b t m a n n.
  Mein Herr Ich geh.
L a e t u s.   Nicht fern! welch zittern stöst mich an!
  Wie daß Ich das Papir nicht recht entbinden kan?
  Hilff Himmel was ist diß! was schreibt Er! kan ich lesen!
  Was ruht auff disem Blat? Mein sterben / mein genesen?
  Weil Mittel uns entgehn /   285
  Dir deinen Rath und Dinste zu vergelten /
  Und uns nicht an wil stehn /
  Daß uns die Nach-Welt solt undanckbar schelten:
  So zahle dich mit eignen Händen /
  Durch dises was wir übersenden.   290
  Wie? Was Geschenck ist diß! Mir? Dolchen? Strang? und
                                Gifft?
  Bin Ichs den diser Blitz deß Bruder-Mörders trifft?
  Wie? Mir! vor Rath und Dinst? Wie? Soll mein
                              Blutvergissen
  Beschönen deine Feil? entladen dein Gewissen?
  Mir! Dolchen? Strang und Gifft! Wahr ists! ach Ich verdin / 295
  Gifft leider! Strang und Dolch! doch nicht an Antonin!
  Nicht an dem Wunder-Thir / dem tollen Ungeheuer /
  Das würgend tobt und raast mit Hacken / Rad und Feuer /
  Wahr ists! ach ich verdin / ach! Dolchen / Gifft und Strang!
  Ah todter Fürst an dir! nach dessen Grufft Ich rang!   300
  Auff den die schlaue Zung den Bassian vergifftet!

276 schafft mir = beauftragt mich.

Die Zunge / die dir heut' hat jeden Stich gestifftet.
Wahr ists! ach Ich verdin'! ach! Dolchen / Strang und Gifft!
An niemand denn an mir / den selbst das Ubel trifft
Das Ich / doch nur zu spät' auff ander außgesonnen!   30
Du hast mir / Bassian, du hast mir abgewonnen /
Weil du mich übereilt! Wer hat mich dir entdeckt?
Stirb Laetus! stirb! du hast die Gluth selbst angesteckt;
Die dich zu Aschen brennt! du hast den Tod verschuldet!
Weil du diß Unthier hast so lang in Rom erduldet.   3
Stirb Laetus! weil du selbst hast deine Zeit verschertzt!
Weil du Gelegenheit nie unverzagt behertzt.
Was red' Ich? Kont Ich heut den Mörder nicht erwischen?
Und mit deß Brudern Blut sein schuldig Blut vermischen?
Da bot das Glück sich dar; als in der Frauen meng'   3
Der Mörder kaum entkam dem heulenden Gedräng /
Wer hätt / hätt Ich die Faust dem Vorsatz können leihen /
Der unverdachten That mit Fug mich können zeihen?
Stirb Laetus! stirb! weil nichts vor dich zu hoffen steht:
Weil Vorsatz / Anschlag / Ehr und Stand zurücke geht.   3.
Entzeuch den Greueln dich und den verfluchten Zeiten /
Die Helden in die Band und feig' auff Throne leiten.
Bezeuge mit dem Tod daß Rom nicht deiner werth /
Was / weil es dar / verlacht; wird / wenn es hin begehrt.
Bezeuge mit dem Tod daß dich nichts trotzen könne;   32
Gesetzt daß Bassian dir auch das Leben gönne!
Bezeuge mit dem Tod daß der kein Leben acht'
Der ewig überherrt schmacht' unter frembder Macht.
Wie? Soll Ich denn allein die letzte Zeit beschlissen?
Soll die bestürtzte Stadt nur mich heut einig missen?   3.
Mein Geist! dafern der Leib' in Aschen soll vergehn:
So zünd' ein Feuer an das vor die müh kan stehn.
Nein! Laetus ist behertzt noch höher zu erdrucken /
In dem Er niderfällt! und alles hin zu rucken /
Was uns zu stürtzen sucht! hir steht der letzte Satz: 3:

---

328 überherrt = überragt, herrscht; mhd. überherren (vincere) = über-
wältigen, überragen. Vgl. Grimm 11 II 315.

Ein Augenblick verspilt und gibt den höchsten Schatz.
Was aber fang ich an? Wie brauch ich dein Geschencke?
Ertz-Mörder! daß Ich dir selbst deine Gifft einträncke?
Begehr Ich noch einmal von Bassian gehör /
Als wenn mir was entdeckt zu rettung seiner Ehr?   340
Als wenn Ich auff Jhn selbst von einem Anschlag wüste;
Und stoss' Jhm / wenn er kömmt die Dolchen durch die
                                                 Brüste.
Umbsonst! der zage läst mich nimmer vor Gesicht!
Er scheut sich vor sich selbst. Such' Ich deß Tages Licht
Und renne durch die Stadt umbringt mit dicken Hauffen   345
Die umb mich für und für und Mir zu Dinste lauffen?
Und ruff' umb Hülff und Recht und flih das Läger an?
Und zeige wie der Fürst die Dinst ablohnen kan?
Die mit und unter mir in Stahl und Staub geschwitzet;
Vil / welche Geten Tod durch Hertz und Seele ritzet;   350
Beschirmen meine Sach! ach aber! wenn entdeckt:
Daß Ich der Brüder Zanck durch meine Zung entsteckt?
Doch könt es auch so bald durch Heer und Stadt erschallen?
Mit kurtzem / Laetus muß nur stürtzen / oder fallen!
Kein langer Rathschlag gilt! was schadets wenn versucht /   355
Was noch zu wagen steht! dafern es sonder Frucht /
Hab Ich die Schuld dem Glück' und mir nicht
                                                 zuzuschreiben /
Auch besser / weil mich doch wil Bassian entleiben /
Daß Ich vor Freyheit / Volck / ja für den Thron verterb'
Als durch mein eigne Faust / als ein verzagter sterb.   360
Befreyte! Diner! Knecht! Leib-Knaben! Blut-Verwandten!
Kommt eilend! rufft herzu von Freunden / von Bekandten
Die zu erreichen sind:
Haubtmann.   Mein Herr / kein ruffen gilt!
   Biß er deß Käysers Schluß an seinem Leib erfüllt /
   Die Zimmer / dise Burg / die Thore sind besetzet /   365
L a e t u s. Ich habe / weil Ich lebt / nie Bassian verletzet;
   Er gleichwol / wil mich tod. Gönnt daß Ich mich bereit!
   Wer weigert sterbenden so engen Raum der Zeit?

Rufft Eh-Gemahl und Kind! last mich den letzten Willen /
Wie uns das Recht erlaubt und bräuchlich / vor erfüllen.   37[^]
H a u b t m a n n.
   Umbsonst! deß Käysers Wort schleust allen Zugang auß.
L a e t u s. Der Frembden: Aber nicht der / die in einem Haus.
H a u b t m a n n.
   Es steht uns hir nicht frey zu deuteln und zu dichten.
   Der Käyser wil. Ich muß was Er mir schafft verrichten.
L a e t u s. Der Mir zu dancken hat daß Er noch schaffen kan?   37[^]
   Der durch mich herrscht?
H a u b t m a n n.   Mein Herr! das geht mich gantz nicht an.
L a e t u s.
   Nur sagt: Warumb Ich denn das Leben soll beschlissen?
H a u b t m a n n.
   Ich bin sein Richter nicht / er frage sein Gewissen.
L a e t u s. Das keines Lasters mich noch Frevels überzeugt.
H a u b t m a n n.
   Das Hertz bekennet vil ob wol die Lippe treugt.   38[^]
L a e t u s. Mein Unschuld wird bezeugt durch dein so scharff
                              verfahren /
   Hab Ich den Hals verwirckt: So last es offenbaren.
   Stellt Zeug und Richter vor!
H a u b t m a n n.   Der höchste Richter klagt.
   Er selbst schickt Jhm den Schluß! nur schleunig! nie verzagt
   Ein unerschreckter Held wenn Jhn der Tod erblicket.   38[^]
   Was aber? Was ist diß?

Laetus. Der 1. und 2. Haubtmann.

2. H a u b t m a n n.   Halt inn! der Käyser schicket
   Uns / selbst / und hebt die Straff und erstes Urtel auff /
L a e t u s.
   So bricht die Unschuld vor durch der Verläumbder Hauff.
2. H a u b t m a n n. Und wil / daß der Princeß man Laetum
                              stracks gewehre.

L a e t u s. Wehm? Julien.

2. H a u b t m a n n.   Gar recht!

L a e t u s.   Verzeiht Mir! Ich beschwere 390
Mich über dise Gnad'!

2. H a u b t m a n n.   Eilt! reist die Dolchen auß!
Nemt Gifft und Strick hinweg!

L a e t u s.   In Grund gestürtztes Haus!
Durchauß gefällter Mensch! Soll Julie jhr wütten
Und rasend-tollen Mut auff dises Haubt außschütten?
Vergönnt uns Bassian nicht einen freyen Tod?   395
Hir ist deß Fürsten Hand! ich eile sein Gebot
Großmüttigst zu vollzihn. Gebt Gifft und Dolchen wieder!
Vergönnt daß Mir zuletzt die sterbend' Augenlieder
Ein werther Freund verschliss'.

2. H a u b t m a n n.   Umbsonst! die Zeit vergeht /
Folg! oder.

L a e t u s.   Schaut die jhr nach Stand und Würden steht; 400
Die jhr durch Dinst und Blutt wolt Fürsten-Gunst
                        erwerben;
So laufft die Freundschafft auß! wir suchen nichts denn
                        sterben;
Und sterben wird versagt! diß was Jhr schrecklich heist!
Ist jtzt mein höchster Wuntsch! doch das Verhängnüß reist
Mich von der Frey-Stadt weg die allen offen stehet.   405
Bin ich durch so vil Schweiß zu disem Fall erhöhet?
Doch schneid't der Käyser Jhm die Sehnen selbst entzwey /
In dem Er die durchstößt durch die Er kummer-frey /
Durch die Er sicher sitzt!

2. H a u b t m a n n.   Legt hand an!

L a e t u s.   Trit zurücke;
Daß Ich mit diser Faust dir nicht den Hals erdrücke!   410
Weg ketten! geht! Ich folg' / ein nicht erschreckter Mutt /
Der nicht mehr dinen kan; vergeust das frische Blutt
Mehr freudig denn die Feind' erbittert Jhn zu pochen!
Geht! Laetus höhnt die Qual und stirbt nicht ungerochen.

Cleander. Papinianus.

C l e a n d e r. So schlägt Papinian deß Käysers bitten auß? 41

P a p i n i a n.

  Papinian betraurt deß Käysers Ruhm und Haus!

C l e a n d e r.

  Was kan man weiter thun bey schon verübten Sachen?

P a p i n i a n.

  Verübte Greuel nicht zu Recht und Tugend machen.

C l e a n d e r.

  Die Noth zwingt Fürsten offt was auß der Bahn zu gehn!

P a p i n i a n.

  Nicht uns / wenn Sie verführt / dem freveln bey zu stehn. 420

C l e a n d e r.

  Er hat in heissem Zorn die harte That vollzogen.

P a p i n i a n.

  Wir sind jtzt bey Vernunfft / von keinem Zorn bewogen.

C l e a n d e r.

  Der Bruder griff Jhn was mit rauen Worten an.

P a p i n i a n.

  Wol raue / wenn sie nur der Tod außsöhnen kan.

C l e a n d e r.

  Es stund dem jüngern an; dem ältern was zu weichen.   425

P a p i n i a n.

  Und disem sich was mehr mit jenem zu vergleichen.

C l e a n d e r.

  Man weiß daß Brüder doch gar selten eins gesinnt.

P a p i n i a n. Wenn durch Verläumbdung / Haß / und Zanck

                            die Gunst zerrinnt.

C l e a n d e r.

  Noch minder sitzen zwey auff einem Stul bequeme.

P a p i n i a n.

  Bequem! im fall der Stul der Tugend angeneme.   430

C l e a n d e r. Kam mit deß Vatern Kind je Nero überein?

P a p i n i a n.

  Wo aber Marcus herrscht da kont auch Verus seyn.

Cleander.
 Man hatt' auff Marcum diß / auff Verum das zu sagen.
Papinian.
 Das Marcus stets mit Ruhm hat auß der acht geschlagen.
Cleander.
 Da als er auff den Thron sich fest hatt' eingesetzt.   435
Papinian.
 Die feste Ruh' ist hoch durch dise That verletzt.
Cleander.
 Drumb soll Papinian mit Rath und Reden heilen.
Papinian.
 Er kan dem Antonin nicht neuen Geist ertheilen.
Cleander.
 Und doch dem Bassian erhalten Ruhm und Stand.
Papinian.
 Er dint dem Bassian mit Hertzen / Seel und Hand.   440
Cleander.
 Und weigert sich vor Ihn den Todschlag zu beschönen.
Papinian.
 Wer den beschönen kan; kan Welt und Fürsten höhnen.
Cleander.
 Diß Stück nimmt weil es noch verdeckt vil Farben an.
Papinian.
 O Stück das keine Nacht noch Zeit verdecken kan!
Cleander.
 Darnach man es der Welt wird in die Ohren bringen /   445
Papinian.
 Verblümt es wie jhr wollt; es wird doch heßlich klingen /
Cleander.
 Es ist wol eh'r und mehr / und hir und da geschehn.
Papinian.
 Man wird auff Caesars Stul nicht vil dergleichen sehn.
Cleander.
 Britannicus verfil durch seines Brudern Träncke /
Papinian.
 Nicht durch entblösten Stahl / nur durch bedeckte Räncke. 450

C l e a n d e r.
> Kein Unterscheid / ob Dolch / ob Gifft / die Rach außführ.

P a p i n i a n.
> Ja dem / dem alles gleich; weit anders ists bey mir.

C l e a n d e r.
> So schleust Papinian, das Gifft nur vor zu suchen.

P a p i n i a n.
> Papinian muß Gifft und Bruder-Mord verfluchen.

C l e a n d e r.
> Was ists denn das Er an dem Nero werther schätzt?   455

P a p i n i a n.
> Daß Nero in der That sich ob der That entsetzt.

C l e a n d e r.
> Er hiß den Gifft-Kelch selbst dem Bruder übergeben.

P a p i n i a n.
> Damit es schien' es brächt Jhn strenge Seuch' umbs Leben.

C l e a n d e r.
> Er griff die Mutter an mit scharff entblöster Wehr'.

P a p i n i a n.
> Auß Jhrer Wunde rührt sein höchstes Unheil her.   460

C l e a n d e r.
> Doch setzt Annaeus auff daß es mit Recht geschehen.

P a p i n i a n.
> Wie hat der grosse Mann so schlecht sich vorgesehen!

C l e a n d e r.
> Er schrib von Agrippin' auffrichtig / klar und wahr.

P a p i n i a n.
> Und dennoch fand sein Ruhm hirdurch die Todten-Baar.

C l e a n d e r.
> Er that es umb den Ruhm deß Fürsten zu erhalten.   465

P a p i n i a n.
> Und spür'te seinen Ruhm und jenes Lob veralten.

C l e a n d e r.
> So steiff hat Burrhus nie dem Nero widerstrebt.

P a p i n i a n.
> Ach! hätt Er (da noch Zeit:) mehr frey umb Jhn gelebt!

C l e a n d e r. Mein Freund! wer lebt; der dint / wer dint;
muß nichts versagen.
P a p i n i a n. Wer so dint / wird Schmach / Schand und Fluch
zu Lohne tragen. 470
C l e a n d e r.
Ach Götter! werther Freund! Er ringt nach seinem Tod.
P a p i n i a n.
Wer vor die Warheit stirbt; pocht aller Zeiten Noth.
C l e a n d e r.
Wie hitzig wird der Fürst den rauen Abschlag hören!
P a p i n i a n.
Ich muß das heil'ge Recht vor tausend Fürsten ehren.
C l e a n d e r.
Wo bleibt sein Stand? Sein Gut? und was Er hoffen kan? 475
P a p i n i a n.
Diß leere Kinder-werck geht schlechte Geister an!
C l e a n d e r.
Wil Er deß Käysers Grimm ein einig Kind vorwerffen?
P a p i n i a n. Der Käyser kan ein Schwerdt auff Fleisch /
nicht Seelen / schärffen.
C l e a n d e r.
Die werthe Plautie! der Himmel-hohe Geist!
P a p i n i a n.
Ist jhre Schwester nicht ins Elend längst verweist? 480
C l e a n d e r.
Wil Er sein gantzes Haus mit sich zu grunde stürtzen?
P a p i n i a n.
Vil liber / denn das Recht auch umb ein Haar abkürtzen?
C l e a n d e r.
Der Recht und Satzung gibt / hebt offt die Satzung auff.
P a p i n i a n.
Nicht die der Völcker Schluß erhält in stetem Lauff.
C l e a n d e r.
Die Römsche Taffeln selbst sind durch die Zeit vertriben. 485
P a p i n i a n.
Der Götter ewig Recht ist stets im schwange bliben.

C l e a n d e r.
Es wird / wie was nur ist / in seine Nacht vergehn.
P a p i n i a n.
Es wird / wenn alles hin / in den Gewissen stehn.
C l e a n d e r.
Es ist der Völcker Recht das einen heist gebitten.
P a p i n i a n.
Der Völcker Recht verbeut auff nechstes Blut zu wütten.   490
C l e a n d e r.
Die Stat-Sucht wischt das Recht bey allen Völckern auß.
P a p i n i a n. Wo Stat-Sucht herrscht; verfällt der Fürsten
                                    Stul und Haus.

C l e a n d e r.
Gab Caesars letztes Blutt nicht neue Macht zu freyen?
P a p i n i a n.
Must Jhm die neue Macht nicht zum verterb gedeyen?
C l e a n d e r. Wo reist Papinian Jhn diser Eyfer hin?   495
P a p i n i a n. Wo uns die Ewigkeit befestet den Gewin.
C l e a n d e r.
Er ist der Erden Haubt anjtzt der nechst auff Erden.
P a p i n i a n.
Und kan vor Abends noch der allerfernste werden.
C l e a n d e r. Rath / Läger / Stadt und Reich wüntscht Jhm
                                    noch lange Zeit.
P a p i n i a n. Rath / Läger / Stadt und Reich schaw mein
                                    Auffrichti[g]keit.   500

C l e a n d e r.
Wie wird / wo er verfällt das Spil so frembde lauffen!
P a p i n i a n.
Man wirfft durch eines Fall nicht Länder über Hauffen.
C l e a n d e r.
Das grosse Reich beruht sehr offt auff eines Heil.
P a p i n i a n.
Mir ist diß Haubt vors Reich; mehr vor die Warheit feil!.
C l e a n d e r.
Soll ich dem Bassian die unsanfft' Antwort bringen?   505

Papinian.
Daß mein Gewissen nicht sich von Mir lasse zwingen.
Cleander.
Wil Er dem Käyser denn nicht rathen; rett' er sich.
Papinian.
Der Fürst hat Raths genung. Ich sorg' anjtzt für mich.
Cleander.
Ist denn Papinian durch gar nichts zu bewegen?
Papinian.
Pflag man je solchen Dinst auff unser Ambt zu legen?   510
Cleander.
Der Käyser siht nicht Ambt / nur Freund / und Weißheit an.
Papinian.
Der ist nicht diß nicht das der diß verrichten kan.
Cleander.
Ach grosser Geist! Ich seh' ein grimmig Ungewitter!
Papinian.
Ein herrlich Tod ist süss' / ein schimpfflich Leben bitter.
Cleander.
Ja wenn man durch den Tod das Vaterland erhält.   515
Papinian.
Mehr wenn das Recht dardurch erhalten in der Welt.
Cleander.
Was durch die Finger jtzt / denn schärffer auffgesehen.
Papinian.
Man siht zu spät / wenn schon was lasterhafft / geschehen.
Cleander.
Ade! Ich red umbsonst. Ich bitt Er seh sich vor.
Papinian.
Ich seh auffs Käysers Ehr dem ich den Leib verschwor.   520
Cleander.
Villeicht wird Einsamkeit sein forschend' Hertz gewinnen.
Papinian.
Die weigern Fürsten gantz die einmal weigern können.

Der Cämmerer. Julia. Laetus. Die Diner der Käyserin.

So ists Princess' Ich liff in höchster eil voran.
Man bringt Jhr was Sie sucht. Wo Rach' erquicken kan;
Und deß Verräthers Blutt den heissen Zorn mag dämpffen / 525
Den Sie so grimmig fühlt mit Jhren Schmertzen kämpffen;
So gönne Sie der Welt der hellen Augen Licht
Und wisch umb was was ergetzt' Jhr weinend Angesicht.

J u l i a. O Götter! O! daß Wir zu sparsam vor gebeten!
Wir solten seine Zucht mit disen Füssen treten!   530
Mit seiner Kinder Blutt beflecken seine Brust /
Erröten seine Stirn' / erfrischen unsre Lust.
Doch scheint uns Titan noch! Wir hören das gedränge /
Das poltern und geräusch' hir abgeschickter menge /
Thut auff! das Wild ist dar! Treuloser! stehst du hir!   535
Da Ertz-Verräther du / voll wüttender Begir /
Hast mit Severus Blutt den frechen Mutt gekühlet /
Mit deines Fürsten Kopff und unsrer Macht gespilet /
Und durch deß Brudern Faust deß Brudern Hertz
                                        durchrennt /
Kind / Mutter / Bruder / Fürst / und Fürst und Reich
                                        zutrennt.   540
Befleckt das Recht der Welt / nach derer Qual gerungen
Durch welcher Beystand dir dein Will' und Wuntsch
                                        gelungen.
Jtzt schwebst du Segel-loß! jtzt splittert Mast und Schiff /
Das leider was zu früh' auff unser' Angst außliff.
Jtzt lodert dir die Glutt zu der du Pech getragen.   545
Der Donner der uns traff hat auff dich loß geschlagen.
Du sihst dein letztes Zil und kanst gar leicht verstehn;
Wie bluttig dir noch heut der Tag werd' untergehn.

L a e t u s.
Ich seh's! und ich versteh's! und bin bereit zu tragen
Was ein ergrimmtes Weib / durch Leid getrotzt / kan wagen. 550

550 getrotzt = gereizt, herausgefordert. Vgl. Grimm trotzen A, Bd 11 I
(2. Teil) 1115.

Komm Löwin Syriens! schlag' hir die Klauen ein!
Ich poche Tod und dich. Der Leib / die Brust ist dein /
Nicht mein behertzter Geist / der sich zu leben schämet /
Nun ein verlockter Fürst sich deiner Gunst bequemet /
Und was Jhm einig treu' auff deine Thränen wagt /   555
Komm! Laetus den du suchst; gewehrt sich unverzagt.

J u l i a. Hört wie das Unthir noch in seinen Banden rase!
Und grimmig Gall' und Gifft als Sinnen-loß außblase!
Erkennt er seine Schuld? Bemüht er sich durch Bitt
Zu lindern ein verletzt / doch tugendreich Gemütt?   560

L a e t u s.
Ich! solt Ich dir? Die du nicht eins verzeihen können /
Zu meiner letzten Schmach vil sanffter Worte gönnen?
Und schmeicheln deinem Haß? Nein! bilde dir nicht ein;
Daß Laetus dir noch werd' anjtzt fußfällig seyn!

J u l i a.
Fußfällig! nicht nur uns / auch unsers Fürsten Leichen!   565

L a e t u s.
Eh wirst du mit der Hand biß an die Sterne reichen.

J u l i a. Wir haben vor den Trotz wol Mittel an der Hand /

L a e t u s.
Die hat jtzt Laetus selbst / gebt uns deß Fürsten Pfand!
Gebt sein geschencktes Gifft! gebt Strang und Dolchen
                                                wider!
Die freye Seel' ergrimmt und bricht der schwachen Glider   570
Verrathen Wohn-Haus ein!

J u l i a.   Begehrst du denn den Tod?

L a e t u s. Das Ende meiner Pein und hart-gespannten Noth.

J u l i a.
Der Mörder sucht numehr den Tod als ein Geschencke.

L a e t u s. Er sucht / doch nicht von dir! Ich weiß dein
                                                wütten kräncke:
Daß mich der Menschen Recht nur einmal sterben läst /   575

J u l i a. Den einfach-kurtzen Tod hält lange Marter fest.

L a e t u s.
Was hält dich denn zurück? Erfülle dein Beginnen!

J u l i a.
  Was soll man auff die Schuld vor eine Straff ersinnen?
L a e t u s. Ersinnen? Geh allein hirauff mit dir zu Rath.
  Wie strafft dein Vaterland Leib-eigner Missethat?   580
J u l i a. Für solche Knecht' in Rom sind Creutzer zu geringe.
  Und glüend Blech / und Hartz und Brand die Pest der
                          Dinge.
L a e t u s. Diß alles fühlt wer dich unRöm'sche Sclavin siht.
J u l i a. Du sihst uns nur zu lang' indem die Freyheit blüht.
L a e t u s. O daß Sever dich nie / Rom nimmermehr gesehen! 585
J u l i a.
  Rom siht uns stets! du jtzt! bald wird es nicht geschehen!
L a e t u s. Wol Augen fast zu letzt ein schrecklich Ebenbild
  Deß grimmsten Weibes ein; wie blickert Sie so wild /
  Auff dis' auf jene Seit'? Als wenn die Blutt-Cometen
  Mit überhäufftem ach und Jammer / Mord und tödten /   590
  Bedräuen Land und See / das Wang' jtzt blaß / jtzt roth /
  Entdeckt deß Hertzens-Gifft / daß ungeheure Noth /
  Durch alle Glider prest / schaut wie die Lippe zitter!
  Wie sich die Grausamkeit auff jedem Haar erschütter!
  Wie Arm und Hand erbeb! und Knie und Fuß sich reg!   595
  Wie hitzig sich die Brust auff kurtze Lufft beweg!
  Erzörnte Julie! versöhne dein Gemütte!
  Das Opffer ist schon hir! komm! komm Princeß! ich bitte
  Geuß mein begehrtes Blutt auff deiner Seelen Brand!
  Du göldnes Licht ade! reiß nun mit strenger Hand   600
  Die starrend Augen auß / die nichts zu sehn entschlossen /
  Biß du dein Trauer-Kleid mit meinem Blutt begossen.
J u l i a.
  Wie? Soll dein schändlich Blutt besprützen unser Hand?
  Beflecken diesen Arm / und unser Traur-Gewand?
  Nein Götter! solt jemand sich mit vergifften Drachen   605
  An reiner Opffer-Stadt zu eurem Tempel machen?
  Nein! schleuß die Augen nicht! du sollst noch etwas sehn /
  Das weil der Erden Grund geleget / nicht geschehn.
  Wir wollen dir den Sitz der ärgsten Boßheit zeigen.

Denn magst du / wo du kanst / die frechen Augen neigen. 610
Stracks Diner! macht Jhn fest!
L a e t u s.   Unnöthig! last mich stehn!
Last aller Marter Macht auff meine Glider gehn!
Es zeuge wer es siht! daß Ich mehr Qual zu tragen
Behertzt: Denn Julie gefast mir vorzuschlagen.
J u l i a. Entblöst die tolle Brust / drinn keine Redli[ch]keit / 615
Je einen Sitz erkor.
L a e t u s.   Zertrennt! zersprengt diß Kleid!
Beschaut! die Brust ist bloß! doch überdeckt mit Wunden /
Durch die Sever den Thron / und du die Cron gefunden.
J u l i a.
Rückt deß Verräthers Hertz auß dem zuschlitzten Leib!
L a e t u s.
Seyd munter! rückt es hin! diß heist ein rasend Weib!   620
Laß in der Adern Brunn / laß (weil ich so soll sterben!)
Laß Sclavin Syriens dir neue Purpur färben.
J u l i a. Entweiche Phaeton! diß Hertze kömmt ans Licht /
In dem der gantze Styx! verdeckt eur Angesicht
Jhr Kertzen jener Welt! Diane lauff zurücke   625
Ob disem Greuel-Nest! du einig! du erblicke
(Wo du noch etwas kanst /) was Reich und Land verflucht.
Er athemt! er vergeht! die tolle Seele sucht
Selbst sich von disem Sitz der Boßheit wegzumachen.
So müss’ es allen gehn die mit vergifftem Rachen   630
Begeyfern Thron und Cron / vergällen See und Welt /
Zertrennen was das Band so nahen Blutes hält /
Zerrütten Hof und Stat / zerdrümern Reich und Stände /
Zersplittern so Paläst’ als die verachten Wände
Verhetzen Kind auff Kind / erbittern Haus auff Haus   635
Und kehren grosse Reich’ in Funcken / Asch und Graus /
So müss’ es allen gehn! seyd Götter! seyd gebeten
Last uns mit disem Fuß auff aller Scheitel treten /
Als auff deß Mörders Hertz / die zu der Missethat
Deß Fürsten je gedint / mit Vorschub / Mut und Rath.   640
Jhr die gerechter Rach’ habt eure Faust gelihen:

Heist die beschimpffte Leich' in scharffen Hacken zihen /
Wo ewig stete Schmach / die grause Staffeln baut
Dem / dem vor keiner Schand' und keiner Unthat graut.
Deß Ertz-Verräthers Hertz / gebt (damit all erkennen   645
Was solch' Anstiffter werth) Nachrichtern zu verbrennen.

Reyen der Hofe-Leute.

Erster Satz.

Verjrr'te Seelen sprecht! sprecht mehr daß freche Sünden /
Nicht Straff' und Richter finden.
Ob gleich die Themis nicht
Stracks Hals und Haubt abspricht /   650
Wenn der verlockte Geist
Durch alle Schrancken reist /
Und mit getrotztem Mut die Götter scheint zu pochen /
Die ernste Rach' erblickt
Und martret und zerstückt   655
Ein Haubt das Frevel-voll und sonder Furcht verbrochen.

Erster Gegen-Satz.

Wahr ists! der schnelle Blitz bricht stracks nicht durch die
                                                     Lüffte /
Wenn man mit Mord und Giffte
Nach Cron und Zepter ringt /
Wenn man / was recht / verdringt /   660
Wenn man mit falschem Rath
Befördert eine That
Ob der der Himmel-Baw muß zittern und erkrachen /
Astree kennt das Zil /
Wenn sie (O Trauer-Spil!)   665
Sich soll mit Donner-Knall und Sturm zur Rach'
                                                 auffmachen.

Erster Abgesang.

Indessen wird der Mensch der durch die Schuld
beschwertzt:

Durch sein erhitzt Gewissen /
Gefoltert und gerissen
Wie munter sein Gesicht / wie hoch er auch behertzt.   670
Er zittert vor sich selbst und bildet stets jhm ein
Die nächste Morgen-Röt' erfoder Jhn zur Pein /
Die süsse Nacht die all erquicket /
Hab Jhm schon Netz und Garn gestricket.
Jhm rückt der schweren Träume Hauff /   675
Unendlich sein Verbrechen auff /
Und mahlt Jhm Räder vor / und Zang und Glut und Pfal /
Und grause Werckzeug herber Qual.

Der Ander Satz.

Bestürtzte! diß sind Träum': Ob euch jtzt Dornen stechen!
Es wird ein Licht anbrechen /   680
An dem ein glantzend Schwerdt /
Ein glüend eisern Pferd /
Und Pech / und Bley und Hohn /
Als längst verdinter Lohn;
Euch auff dem Schaw-Gerüst soll aller Welt darstellen.   685
Wenn bey der Sonnen steht
Den Laster hat erhöht
Muß jhn die Straffe doch in tiffste Noth verfällen.

Der Ander Gegen-Satz.

Doch pflegt das Weter offt in frische That zu schlagen /
Daß wir den Rath beklagen /   690
Den zu Schmertz und Gefahr
Der falsche Geist gebar.
Wer andern Netz auffstellt
Verwirr't sich und verfällt
Offt in die selbe Klufft / die er hiß frembden graben.   695
Wer mit dem Laetus läufft /

Der jtzt in Blutt vertäufft
Lern' auff dem Glätt-eiß heut umb etwas sänffter traben.

Ander Abgesang.

Gesetzt auch daß allhir (wo es zu glauben steht)
Wer schuldig ernster Straff entrinne /   700
Und lange Jahr in Ruh gewinne /
Und herrsche wenn was fromm und heilig gantz vergeht!
So lehrt uns dessen Glück das noch vil grösser Pein
Wo Minos Urtel spricht vor jhn müß übrig seyn.
Der bösen stetes wol gedeyen /   705
Kan Menschen von dem Wahn befreyen /
Daß alles faul' in seiner Grufft /
Daß Seelen nichts als Rauch und Lufft.
Die hir das Recht erwischt die strafft es kurtze Zeit;
Dort quält die ewig' Ewigkeit.   710

Die Vierdte Abhandelung.

Bassianus. Cleander.

Bassian.

Göttin die über Thron / die über Fürsten wacht /
Und Seel' an Seelen bindt mit Demant-fester Macht /
Du nicht verfälschte Trew / die was hir schwebt und lebet
In festem Stand erhält / und seinem Fall enthebet:
Schaw auff ein bebend Hertz / das sich verlassen siht /   5
Von dem / umb dessen Glück und Ruhm wir stets bemüht.
Dem Rom / dem Römsche Macht / dem unser Haubt vertrauet
Auff den wir! ach umbsonst! umbsonst! umbsonst! gebauet.
Der mit Verwandschafft uns / der uns durch Eyd verpflicht.
Die Saul auff die wir uns gelehnt: Zerspringt / zerbricht!   10

Von wehm wird Antonin noch etwas hoffen können:
Wenn uns Papinian nicht mehr die Faust wil gönnen?
C l e a n d e r. Der unbewegte Geist der nur vor billich hält
Was Themis leichter Schaar zu scharffer Richtschnur stellt
Und gar nicht überlegt daß hoher Fürsten Leben   15
Nicht der Gesetze Zwang von jemand untergeben /
Entsetzt sich was zu thun das dem zu nahe scheint /
Das Er vor heilig schätzt.
B a s s i a n.   Nein! Nein! Cleander meint
Mit diser Außflucht uns in sanfften Traum zu wigen /
Solt uns Papinian mit disem Dunst obsigen?   20
Nein! Nein! die hohe Seel hat ein vil weiter Zil!
Sie weiß wol was das Recht bey schlechtem Pövel wil /
Sie weiß daß der / dem Land und Reich zu Dinste stehen;
Nicht stets könn' auff der Bahn gemeiner Bräuche gehen.
Der Segel-lose Kahn der an dem Strande spilt: 25
Laufft Furcht und Anstoß frey / wo Er nicht Klippen
                                              fühlt /
Nicht Felsen / Sturm und Sand. Soll man ein Last-Schiff
                                              führen;
So muß man nicht nur stets nach Wind und Nord-Stern
                                              spüren.
Man muß (wo Seichten sind) wo steile Höhen stehn:
Wo umb die Vorgebirg' erhitzte Wellen gehn   30
Wo Teuffen / wo die See wil keinen Bleywurff kennen /
Wenn stete Schläg' auff Schläg' jtzt Bret und Kiel
                                              zutrennen
Offt weichen von dem Strich' auff den der Boßmann siht
Wenn nicht der tolle Nord sich umb die Segel müht /
Man fährt offt seitwärts ab / auch öffter gar zurücke.   35
So wird der Port erreicht mit Vortheil / Ruhm und
                                              Glücke /
Diß weiß Sie und noch mehr / und steht uns doch nicht bey.
Warumb? Deß Pövels Lust blüht wenn ein falsch Geschrey

---

33 Boßmann = Bootsmann.

 Sich an die Fürsten macht / und Sie auffs grimmst'
abmahlet /

 Denn streicht man den und den / der stets mit Tugend
pralet

 Durch Haus und Gassen auß / und Paetus wird gelibt:

 Weil Nero seinen Ruhm in die Rappuse gibt.

C l e a n d e r.

 Mir steht deß Fürsten Wort nicht an zu widerlegen /

 Doch daß Papinian durch dises zu bewegen /

 Was Volck und Pövel schwätzt: Kommt mir unglaublich
vor.

 Der Fürst bedencke nur wie theur er sich verschwor /

 Als jtzt Sever bereit den Lauff der Zeit zu schlissen /

 Und in der Sternen Saal die Götter zu begrüssen /

 Wie trew er jderzeit den grossen Thron gestützt /

 Und seiner Käyser Ruhm bey Heer und Volck geschützt / 50

 Wenn Zwytracht je entstund; war er bereit zu schlichten /

 Glückselig / wenn wo Zanck / die Unlust zu vernichten /

 Sein munterer Verstand hat manchen Sturm erstectt

 Der / wenn er recht ergrimmt / ein grösser Feur erweckt.

B a s s i a n.

 Ohn ists nicht: Daß Wir Jhm biß auff den Tag verbunden! 55

 Doch schlägt Er unserm Ruhm anjtzt die schärffsten
Wunden.

 Wie? Oder libt Er wol deß Todten Cörper mehr

 Als den der herrscht und lebt und seines Käysers Ehr.

C l e a n d e r.

 Er ist deß Antonins und nicht deß Geten Schwager.

B a s s i a n.

 Ja! wenn Plautilla nicht verschickt von unserm Lager / 60

---

42 Rappuse = Plünderung, Beute; in die Rappuse geben = zur Beute
geben, preisgeben; wahrscheinlich Entlehnung aus dem Niederländ. (Nie-
derdt.), von rapen, rapsen = raffen. Groteske Umbildung des nd. fem.
rapse, rappse (das Zugreifen, der Raub) mit roman. klingender Endung.
Wohl Landsknechtsausdruck. Vgl. Grimm 8, 122.
 53 erstectt = zum Ersticken gebracht. Vgl. Anm. zu I 151.

Das hochgesinnte Weib das nichts denn Rach ergetzt /
Umb daß der Schwester Glantz in Finsternüß versetzt /
Umb daß dem Vater nicht die freche That gelungen;
Hat endlich was Sie sucht / wornach Sie stets gerungen.
Sie hat den werthen Mann verzäubert und verwirrt;   65
Daß Er / trotz Jhr und uns / und seiner Weißheit / jrrt /
Daß Er sich unterfängt sich dem zu widersetzen:
Der durch ein wincken kan vil tausend Schwerdter wetzen.
So gehts! der Frauen Mund zubricht auff einen Tag
Mehr denn die greise Zeit mit Müh' auffsetzen mag.   70

Cleander.

Mein Fürst daß Plautien der Schwester Ungenade /
Deß Vatern Untergang / und Tod den Geist belade;
Mag nicht unmöglich seyn / daß Sie sich untersteh /
Zu stillen dise Qual durch new-gesuchtes Weh;
Kommt mir nicht glaublich vor / auch ist nicht zu vermutten 75
(Gesetzt daß Plautien die Hertzens-Stösse blutten!)
Daß sich Papinian gesteifft durch Weiber Rath /
Und winseln unterfang' höchst ungewisser That.
Vilmehr wird Plautie mit ernstem Fleiß sich mühen;
Daß Jhr kein Unfall mög anjtzt das Bret entzihen /   80
Das in dem Schiffbruch Jhr noch einig überblib /
Als Jhrer Schwester Schiff an steile Klippen trib /
Als der der Sie gebar / nachdem er so gestigen:
Sich augenblicklich fand vor aller Füssen ligen.
Was hat die arme doch / wo Jhr die Saul entfällt;   85
Vor Hülffe / Schutz und Rath / die Schwester misst der
                        Welt /
Und dennoch unentseelt: Deß Vatern schimpfflichs Ende /
Sein plötzlich Jammer-Spil klingt wo sie sich hinwende /
Wahr ists: Ein Sohn ist dar / der Sie zur Mutter macht /
Doch der die zarten Jahr kaum auß der Kindheit bracht. 90
Wer sich so einsam siht / Mein Fürst / läst alles schwinden;
Was mächtig Rach und Neid und Ehrgeitz zu entzünden.
Wer sich so einsam siht / bebt wenn die Lufft sich regt /
Mehr wenn der Götter Gott auff Eich' und Felsen schlägt.

Bassian.
　Wer ward durch Weiber nicht / wie weiß er auch / bethöret
　Zumahl wenn Heer und Stadt und selbst der Stat jhn ehret?
　Wenn sich Gelegenheit Jhm in die Hände spilt
　Was unterläst ein Hertz das bloß auff Rache zilt
　So einsam als es sey! wer wenig auffzusetzen
　Läst das verzweiffeln sich / Trotz / Witz und Furcht /
　　　　　　　　　　　　　　　　verhetzen　　　　　　1
　Daß Er was übrig ist und was noch gelten mag
　Zu Fromen / zu Verlust / wagt auff den letzten Schlag /
　Es sey nun wie es sey! man muß die Sach ergründen.
　Nur Plautien versucht ob Sie zu überwinden /
　Und bey uns halten woll'. Umbsonst wird die verdacht;　　1
　Die durch bedinte That sich uns verbunden macht.
　Man fordre sie alsbald / indem wir unterfangen
　Zu schaun ob von Jhm selbst noch etwas zu erlangen.

Bassianus & Papinianus.

Papinian.
　Der Käyser herrsch und leb!
Bassian.　　　　　　　　　　Es lebe wer Jhm Heil /
　Und Reich und Leben gönnt!
Papinian.　　　　　　　　　　　Mir ist das Leben feil　　1
　Vor meines Fürsten Haubt / und Reich und Ruh und Leben.
Bassian.
　Es blick auß seiner That. Wo Wercke Zeugnüß geben
　Sind Worte sonder Nutz. Was hat er sich erklärt
　Auff diß was von Jhm ward zu unserm Nutz begehrt?
　Ist diß Papinian der an der Seit uns gehet?　　　　　　1
　Der unserm Läger schafft? Der durch uns ward erhöhet?
　Dem / numehr Gott Sever, sein Reich und Blutt vertraut
　Als ob der Zepter Last dem müden Alter graut?
　Ist diß Papinian den so vil tausend ehren?

---

106 bedinte That = verrichtete Tat.

Von dem wir disen Tag so grimmen Undanck hören.   120
Ist diß Papinian dem nichts verborgen lag?
Und der jtzt nicht erkennt was jhn verletzen mag?
Was nützt die Weißheit die bey zweiffelhafften Fällen
Nicht Fürsten / nicht sich selbst / kan fest und sicher
                              stellen?

P a p i n i a n.
Es geh nachs Fürsten Wort! und blick auß meiner That /   125
Ob mir sein Leben werth / wo ich mit treuem Rath
Wo ich mit Faust und Stahl stets vor den Thron bemühet /
So ists nicht rühmens noth / daß man mich höher sihet
Als je mein wüntschen stig / daß mich Sever erwehlt
Zu sorgen / als er ward von Sorgen loß gezehlt /   130
Das auff mein' Ansprach' offt das Reich und Läger gibet /
Ja / was noch mehr / der Fürst was mehr denn gnädig libet:
Gesteh ich freylich zu. Doch diser Glantz der Ehr
Die Staffel / diser Stand / zwingt mich je mehr und mehr
Zu sehn warumb ich sey auff disen Ort gesetzet.   135
Ist durch geschwinden Fall der Erden recht verletzet:
Wie kan Ich / was die Welt vor raw vnd grausam hält /
Außstreichen / zwar ein Mensch versiht sich offt und fällt
Und strauchelt wenn Jhn Grimm und Lust und Schuld
                              verleiten /
Wenn Jhn Verläumbdung stöst / und Schmeichler an der
                              Seiten   140
Auff engem Wege gehn. Wer noch die Glider trägt:
Trägt was zu gleiten zwingt / biß er sich schlaffen legt.
Doch wer sich etwan hir zu hitzig übereilet
Und durch getrotzten Zorn und plötzlich jrren feilet:
Steh auff so bald er kan. Wer andre mit sich reist   145
Verteufft sich mehr und mehr.

B a s s i a n.   Durchauß verwähnter Geist!

144 feilet = fehlet, fehl greift; altfrz. fa(il)lir zu mhd. velen, feilen =
(ver)fehlen, sich irren.
146 verwähnter = in die Irre geführter, in Wahn befangener; vgl.
Grimm 12 I 2074.

Wehn suchst du durch den Dunst der Worte zu verblenden
Wir kennen dein Gemüt das fast an allen Enden
Nach Ruhm durch unsre Schmach und Schimpff und
                                        Abgunst jagt.
Doch glaub': Es ist von dir zu deinem Fall gewagt.   1.
P a p i n i a n.
Könt Ich deß Käysers Ruhm durch meinen Tod erwerben:
Könt Ich vor seinen Fall und disen Unfall sterben.
So wär es meine Lust. Ach! aber diser Tag
Nimmt was Papinian nicht wieder bringen mag!
B a s s i a n. Papinian der mehr der Syrer Abkunfft treue /   1:
Als unserm Vorder-Recht.
P a p i n i a n.   Der Vorruck ist nicht neue!
Doch mein schon langer Dinst hat stärcker widerlegt
Was ein verläumbdend Mund ins Käysers Ohren trägt.
B a s s i a n.
Er hat Jhn / nun Er hin / zu schützen auch erkoren.
P a p i n i a n.
Hab ich nicht Antonin und Getae gleich geschworen?   16
B a s s i a n. Wie daß der Todte denn jtzt höher bey Jhm gilt?
P a p i n i a n.
Sie gelten beyde vil / doch mehr der Themis Bild.
B a s s i a n.
Hat Geta nichts versehn / nie Sich auff Uns erkühnet?
P a p i n i a n.
Sein jrren hat / mein Fürst / die Straffe nicht verdinet.
B a s s i a n.
Nicht da Er uns nach Stand und Cron und Leben zilt?   16
P a p i n i a n.
Verleumbdung hat allein diß Traur-Stück abgespilt.
B a s s i a n.
Es sey nun wie es sey! man ist uns gleich verpflichtet.
P a p i n i a n.
Doch nicht zu loben was mit keinem Ruhm verrichtet.

156 Vorruck = Vorwurf; vgl. Grimm 12 II 1423, das Vorrücken; übertragen im Sinne von Vorwurf; z. B. jemand etwas vorrücken.

B a s s i a n. Ja wenn Plautilla nur uns noch vermählet wär'.

P a p i n i a n. Plautill' und Plautia die dinen nicht hiher.   170

B a s s i a n. Man sucht deß Schwähers Tod / der Schwester
                             Fall zu rächen.

P a p i n i a n. Hab Ich nicht stets verflucht deß Schwähers
                            schwer Verbrechen?

B a s s i a n. Auch seinen Untergang und wol-verdinte Pein.

P a p i n i a n.
    Die lehr' uns unbefleckt und rein und heilig seyn.

B a s s i a n.
    Zu gleich gehorsam / Uns / da nöthig zu erzeigen.   175

P a p i n i a n.
    Doch nicht von dem was recht sich seitwarts ab zu neigen.

B a s s i a n.
    So beut der Schwager Uns denn weder Hand noch Rath.

P a p i n i a n.
    Ich weiß daß Antonin nicht gut heist was er that.

B a s s i a n.
    Hat / wer dem Läger schafft / nun ein so zart Gewissen.

P a p i n i a n.
    Das nach-Rew und der Wurm deß Frevels nie gebissen.   180

B a s s i a n. Vil haben disen Fall weit anders überlegt.

P a p i n i a n.
    Die was Ich noch nicht weiß auff andre Meinung trägt.

B a s s i a n.
    Villeicht auch können wir noch seinen Dinst vermissen.

P a p i n i a n.
    Der Käyser meinen Dinst / ich nicht ein rein Gewissen.

B a s s i a n.
    Von hir! wir können selbst mit uns zu Rathe gehn.   185
    Weil Räth' in Jhrem Wahn nur gar zu vil verstehn.

---

182 ‚trägt' hier im Sinne von ‚führt'.

Bassianus. Flavius.

Bassian.

Der hohe Geist besteht! last uns auff Mittel dencken:
Krafft welcher wo er nicht zu zwingen doch zu lencken.
Er strebt nach Ehr und Preis; man raub' jhm Ambt und
Stand!
Libt Freyheit über Gold / es schreck' Jhn Stock und Band. 1
Wie lang ists daß sein Kind das grosse Rom erfreuet?
Warumb nicht seinen Tod dem Vater angedräuet?
Man bringe Plautien ein raues Elend vor.
Man spreng auß daß er sich auff unser Haubt verschwor.
Recht! es taug alles hir doch wird am schärffsten schneiden 1
Daß Er beschuldigt soll als Ertz-Verräther leiden.

Papinianus. Plautia. Papiniani Sohn.

Plautia. O stets gewisse Furcht! wo steh / wo fall Ich hin!
Nun mir mein Heil entfällt! Nun Ich verlassen bin!
Nun Ich! wo find Ich Wort ein Elend außzusprechen /
Das unaußsprechlich ist? Die müden Augen brechen / 20
Weil mir das Hertz entzwey. Der matte Geist vergeht:
Weil meine Seele schmacht. O die jhr / was erhöht /
Nicht sonder heissen Neid auß eurer Tiff anblicket:
Schaut wie von Kindheit an mich Angst und Ach
umbstricket!
Schaut wie das freche Glück weit über alle führ: 20
Damit man was man fand zu aller Lust verlihr.
Was hat der grosse Ruhm dem Vater je gegeben?
Der hir in Rom verfil könt an dem Nilus leben /
Und lebte noch anjtzt / wenn Jhm Aegypten mehr
In stiller Ruh' erquickt / und nicht der frembden Ehr 21
Geschminckter Dunst verführt. Warumb deß Käysers Bette
Plautille so gewüntscht! O Schwester! fleuch und rette
Den schon verdammten Hals! Nun dich ein wüstes Feld
Ein unbewohnter Strand fest in Bestricknüß hält;

Bist du mehr frey als vor ins Römschen Fürsten Armen /   215
Doch dürfft auch Freund und Feind sich über dich
erbarmen /
Wenn ein geringer Mann der nichts begüttert ist
Doch mit sich selbst vergnügt dich zu der Braut erkiest?
Mein Hertz! O ich vergeh! Mein Kind heist diß Beginnen!
Heist diß der Römer Hold und treue Gunst gewinnen?   220
Das höchst-ergetzte Volck bejautzt noch deine Spil /
Ach aber Ich bethren ein gar zu nahes Zil /
Und gar zu nahe Klufft / in die du wirst versincken /
Deß Vatern Unschuld muß ins Käysers Grimm ertrincken;
Deß Vatern Untergang benebelt deinen Glantz /   225
Man gibt vor Lorbern dir schon den Cypressen Krantz /
O nie erhörter Fall! O unverhofftes hoffen!
Wird denn die Tugend nur durch solchen Blitz getroffen?
Papinian.
Getroffen / nicht versehrt! getroffen / nicht verletzt!
Getroffen / nicht zermalmt! deß Himmels schicken setzt   230
Nicht schlaffen Seelen zu. Wer mutig zu bestehen
Den heist deß Höchsten Schluß auff solchen Kampff-platz
gehen.
Wer hir beständig steht; trotzt Fleisch und Fall und Zeit.
Vermählt noch in der Welt sich mit der Ewigkeit /
Und höhnt den Acheron. Mein Hertz es heist nicht sterben! 235
Wenn wir durch kurtze Qual unendlich Lob erwerben:
Das nach uns weil die Erd' auff jhren Stützen ligt /
Tod / Grufft und Holtz-Stoß pocht / und über alle sigt
Die zwar auff Blutt und Leib / nicht auff die Seelen
wütten:
Wer kennt den starcken Geist? Wer unverletzte Sitten?   240
Wenn Sie nicht grimme Noth / nicht grauser Feinde
Schwerdt /
Nicht Läster-Zungen Gifft / nicht Gall und Glutt bewehrt /
Man glaubt daß Ich vorhin der Weißheit mich beflissen /
Man glaub jtzt daß mein Werck geh über alles wissen
Man glaubt daß Themis mich geehrt und hoch gebracht: 245

Man seh daß Ich vor Sie deß Käysers Hold verlacht.
Du selbst erquicke dich / daß durch ein scharff betrüben
Die Götter deine Trew und hohe Tugend üben.

P a p i n i a n i S o h n.

Fraw Mutter wer die Welt in diser Zeit betrat /
Ward eh' er halb gelebt deß müden Lebens satt.   25
Ich bin von Jhr dem Tod' in dises Licht geboren /
Vil besser denn den Tod in höchster Ehr erkoren /
Als schändlich und befleckt nur Jahr auff Jahr gezehlt /
Und biß auff graue Haar umb eitel Tand gequält.
Der hohen Eltern Blutt erhitzet mein Gemütte   25
Und sucht ein ferner Zil / den Sitz der höchsten Gütte
Die über Menschen herrscht / und disem Gräntzen setzt
Der Völcker wider Volck und Städt auff Länder hetzt.

P l a u t i a. Wo werd Ich arme hin? Wie vil werd Ich verliren!

P a p i n i a n.

Gewinnen durch Geduld / was dich wird ewig ziren.   26

P l a u t i a.

O Eh-Gemahl! O Sohn! mein ein und keusche Lust!

P a p i n i a n.

Behalt für Jhn und Mich ein unerschreckte Brust.

P a p i n i a n i S o h n.

Sie rühme daß Jhr Sohn durch keine Noth zu zwingen.

P a p i n i a n.

Es kan dem Käyser doch nichts wider mich gelingen.

P l a u t i a.

Zu vil nur wider mich!

P a p i n i a n.   Nichts wider deinen Ruhm!   26

P a p i n i a n i S o h n.

Je mehr der Himmel treufft / je schöner wächst die Blum.

P l a u t i a. Du Blume deiner Zeit wirst in der Blüt abfallen!

P a p i n i a n i S o h n.

Weit besser denn zu welck zu treten seyn von allen.

P l a u t i a. Er trit / er trit uns ja der alle nider trat!

P a p i n i a n.

Nicht Geister / über die er nichts zu herrschen hat.   27

Papiniani Sohn.
  Nicht grosser Götter Recht das jhn noch wird zutreten.
Plautia.
  Wofern der Götter Ohr jtzt hört auff Wuntsch und beten.
Papinian.
  Jhm wüntsch' Ich ernste Rew und dir Beständigkeit.
Plautia.
  Ich mir den schnellen Tod zu Trost in langem Leid.
Papinian.
  Ein langes Leiden dint vil schwache zu verstärcken.   275
Plautia.
  Ein langes Leiden läst offt grosse Schwachheit mercken.
Papinian.
  An der nicht / die Geduld zum Beystand Jhr erwehlt.
Plautia. Die über-menschlich Angst all Augenblicke zehlt.
Papinian.
  Die über-menschlich Angst auff Erden Göttlich machet.
Plautia.
  Die in der rauen Qual so Freund als Feind verlachet.   280
Papinian.
  Und steter nach-Ruhm ehrt / und Rom und Welt beklagt.
Plautia.
  Nach der das nechste Blutt auß Furcht nicht weiter fragt.
Papinian. Wer nicht mehr fragen darff betraurt doch
                                 was uns schmertzet.
Plautia.
  Was hilfft es wenn er nicht die raue Noth behertzet.
Papinian. Wer hülff-los überwand: erlangt vil grösser Ehr. 285
Plautia.
  Wir kämpffen aber ach! der Feind drückt was zu sehr.
Papinian.
  Die edle Palme wächst je mehr man sie beschweret.
Plautia.
  Die zarte Perle wird durch scharffen Wein verzehret.
Papinian.
  Ein reiner Demant bleibt: die stoltze Klippe steht.

Ob Amfitriten Schaum gleich über Gipffel geht   29[5]
Nur Mut / last Antonin, Trotz / Grimm und rasen wagen!
Wir können diß und mehr behertzt und freudig tragen.

Macrinus. Papinianus. Plautia. Der Sohn.

Durchlauchtigster: Ich komm' auff unsers Fürsten Wort /
Ein Bothe rauer Post. Doch steht er auff dem Ort
Auff dem er seinen Fall noch glücklich kan verhüten.   29[5]
Wie Antonin es wüntscht. Gilt mein wolmeynend bitten /
Und schlägt Papinian geneigten Rath nicht auß:
So blühe / ja es blüht sein wol-verdintes Haus.
Papinian.
    Was unser Fürst begehrt was treue Freund' einrathen
    Ist jederzeit mein Wuntsch; wofern nicht schnöde Thaten   30[0]
    Fürst oder Freund von mir durch Wort und bitten sucht /
    Wer was nicht redlich wil. Sucht bey Mir sonder Frucht.
Macrin. Papinian versteht daß Antonin erhitzet
    Und zornig über Jhn als ungehorsam blitzet:
    Kan man dem Käyser denn nicht was zu Willen seyn?   30[5]
Papinian.
    In dem verfluchten Werck? Macrin mit kurtzem: Nein.
Macrin.
    Durchlauchtigste kan Sie den starcken Sinn nicht beugen?
Plautia.
    Ich kan nichts mehr denn nur von seiner Tugend zeugen.
Macrin.
    Bedenckt der Vater denn nicht sein gelibtes Kind?
Sohn.
    Wer nur das Recht ansiht schlägt Kinder in den Wind.   31[0]
Macrin.
    Mir leider fällt es schwer das Urtheil außzuführen.
Papinian.
    Mir leicht es außzustehn. Soll Ich das Haubt verliren?
    Sag an? Ich bin bereit!

Macrin.
    Daß Ich den Fa

Papinian.

Macrin. Der Fü   le. 315

Papinian.
    Die acht ich (gla
    Weg / weg bemü
    Du leichte Handvoll Dunst! Ich kenne dich nicht mehr.

Macrin.
    Ich bin geschickt Jhm Dolch und Zirath abzuheischen.

Papinian.
    Gar wol! man lasse Mich noch über diß zerfleischen.   320
    Hir ist der scharffe Stahl den Ich behutsam trug /
    Zu meiner Käyser Dinst / als Ich die Feinde schlug /
    Der Römer Ehr erhöht / der Fürsten Brust beschützet.
    Der Dolch ist glaubt mir nie mit Bürger-Blutt besprützet;
    Ich geb jhn willig hin! Jhr Läger gute Nacht!   325
    Papinian wird loß! nun hat Er auß gewacht!

Macrin.
    Ach kan er sich denn selbst so tiff ernidrigt schauen?

Papinian.
    Ich sey auch wer Ich sey / Mir wird von Mir nicht grauen.

Macrin.
    Der Fürsten Bilder stehn Jhm denn nicht weiter zu.

Papinian. Der Heilgen Themis Bild ist einig meine Ruh /   330
    Nemt / nemt die Bilder hin! sie stehn mir in dem Hertzen.
    Der den Ich jtzt noch ehr’ / und der den meine Schmertzen
    Bejammern auff der Baar! was sind die Bilder noth /
    Die nun zu ändern sind nach eines Fürsten Tod?

Macrin. Das Käyserliche Buch der hohen Ambts-Gesetze /   335
    Muß eingehändigt seyn.

Papinian.   Umb das Ich nicht verletze
    Das allgemeine Recht daß der die grosse Welt
    Hat in Jhr Wesen bracht und in dem Stand erhält /
    Nicht jrgend auß Papir / auff stetes Ertz getriben /
    Nein / sondern das er hat der Seelen eingeschriben /   340

Verlir Ich höchst erfreut mein Ambt-Recht / nemt es hin.
Schätzt jhr diß vor Verlust? Ich halt es vor Gewin.
M a c r i n.
Lescht nun die Kertzen auß die auff dem Golde brennen.
P a p i n i a n.
Man kan die scheinend' Ehr auch sonder Kertz' erkennen.
M a c r i n.
Raumt ab das weisse Tuch mit dem gestückten Rand.   34.
P a p i n i a n. Nichts das uns besser zir als eine reine Hand!
Was heischt Macrin noch mehr?
P l a u t i a.   Was kan Er ferner wollen?
P a p i n i a n.
Ist diß der Götter Schluß daß wir verschwinden sollen /
Und schafft es Antonin, warumb denn vil gezilt /
Und mit dem Tocken-werck so kindisch hir gespilt.   350
Meynt Jhr daß dise Schmach wofern es Schmach zu
                              nennen /
Die kräncke / die / was Ehr und wahre Hoheit kennen.
Nein! warlich! Stand und Ambt und Gold ist flüchtig Gut.
Was niemand raubt das ists! ein unbewegter Mut.
M a c r i n.
Der Fürst wil endlich Sich mit seinem Sohn besprechen.   355
P l a u t i a. Ja rächen / sagt / an Jhm ein Väterlich Verbrechen.
M a c r i n.
Der Fürst sucht anders nichts / als beyder Glück und Heil.
P l a u t i a.
Mein Kind Ich schaw vor dich nichts als ein bluttig Beil.
S o h n. Fraw Mutter nur getrost! ich kan es auch ertragen!
M a c r i n. Durchlauchtigste Sie glaub es ist ein eitel zagen.   360
P a p i n i a n.
Behertzt mein Sohn! behertzt! und dencke wer ich sey!
Ja wer du numehr selbst. Der Himmel steh dir bey /
Erschrick ob keinem Blick.

---

345 gestückten = gestickten; vgl. Anm. zu II 443.
350 Tocken-werck = Puppen, Puppenzeug, mhd. tocke = Puppe, Mäd-
chen. Vgl. Grimm 11 I (1. Teil) 537 und Grimm 2, 1208.

S o h n.
  Soll Ich vor Jhn de
  So glaub Er daß m   365
  Als daß mein Leber
  Ade mit disem Kuß
  Fraw Mutter! diser
  Der Jhr nur würdig
  Und sinckt in Ohnmacht hin: der rauen Jammer Last   370
  Beklämmt die grosse Seel.
M a c r i n.   Auff last uns nicht verweilen.
S o h n. O Mutter gute Nacht.
P a p i n i a n.   Wer wird die Wunden heilen
  O stets bestürmter Geist! tragt / daß Sie sich erquick /
  Den Athem-losen Leib ins Zimmer stracks zurück.

  Papinianus. Zwey Haubtleute auß dem Läger.

  Durchlauchtigster! das Heer / die Läger und die Schaaren / 375
  Nach dem Sie voll von Mut in höchster Eil erfahren
  Daß Antonin auff Jhn in tollem Zorn ergrimmt /
  Und seine Schmach ja Fall / auch wol den Tod gestimmt;
  Entschlissen Jhm zu Dinst für Jhn sich keck zu wagen /
  Und lassen Jhre Pflicht Jhm mit dem Reich antragen.   380
  Er rette sich und uns / und die erschreckte Welt /
  Die durch den Bruder-Mord bestürtzt / zurücke prellt /
  Und uns und Rom verspeyt / man soll auff sein erklären:
  Deß Caracallen Kopff Jhm alsobald gewehren.
  Diß wüntscht wer Redli[ch]keit / wer seine Tugend
                                         schätzt /   385
  Und sich dem Frevel-Stück deß Fürsten widersetzt.
P a p i n i a n.
  Daß Mir das Läger noch auff disen Tag gewogen;
  Und sich so fern erklärt / auch (wie Jhr angezogen)
  Sein Glück durch meines sucht: Rührt auß Wolmeynung
                                         her /

Die ich mit Danck erkenn / doch glaubt mir Ich begehr   39
Nichts als deß Fürsten Heil auch durch diß Blutt zu stützen
Der sucht nicht frembder Schutz den Tugend kan
                              beschützen.
Geht! bleibt dem Käyser trew! es geh auch wie es geh!
Glaubt daß auff meinem Haubt nicht aller Nutz besteh.
Und denckt wem Jhr mit Eyd und theurer Pflicht
                              verbunden.   39

Haubtleute.
Herr unser Pflicht verstarb durch deß Entleibten Wunden.
Wir schworen Antonin und Geta trew zu seyn /
Als Fürsten / diser fil durch unverhoffte Pein;
Der ander hat sich selbst der hohen Macht entsetzet.
Als Er durch Bruder-Mord Gott / Blutt und Recht verletzet.   400
Man schaw auch auff den Bund: Wer ists der jhn zuriß?
Und sein selbst eigen Ehr / in tollem Grimm durchstiß.
Die Trew ward einem nicht nur beyden gleich versprochen /
Der Fürst hat was uns band und hilt nun fast zubrochen.

Papinian.
Jhr jrrt ach Libst / Jhr jrrt. Der Fürst ists der uns schafft. 405
Gesetzt auch daß Er feil. Ein unbepfählte Krafft
Kan zwar (es ist nicht ohn) in tiffste Laster rennen:
Doch darff ob seiner Schuld kein Unterthan erkennen.
Die Götter sitzen nur (dafern Sie was verbricht
Und auß den Schrancken reist) vollmächtig Blut-Gericht.   410
Wer einen Eingriff hir sich unterstund zu wagen;
Hat Blitz und Untergang zur Außbeut hingetragen.

Haubtleute.
Die Götter straffen spät! auch nie! so mag er frey
Mit Mord / Gifft / Unzucht / Trug / Zwang / rasen /
                              Vollerey /
Bey unterdruckter Ach! in Lust die Zeit beschlissen?   415

Papinian.
Jhn martert / weil er feilt stets sein erhitzt Gewissen /

---

406 feil = fehl; s. Anm. zu IV 144 u. V 121.

Haubtleute. Man führt der Götter Recht durch Menschen-
Schwerdter auß.

Papinian.
Die Schwerdter sind verpflicht der Antoninen Haus.

Haubtleute.
Herr! ach sein Haus verfällt! Er such es zu bewahren.

Papinian.
Fürs allgemeine best wolt ich mein Haus nicht sparen.   420
Setzt uns nicht ferner zu. Die Seele wird erschreckt
Ich bin durch Eure Wort und Ansprach hart befleckt.
Ein reines Hertz hat Schew an solche That zu dencken
Fahrt wol!

Haubtleute.
So schlägt Er auß was Jhm die Läger schencken.

Papinian.
Das Läger hat nicht Macht zu liffern was es gibt /   425
Fahrt wol! zeigt allen an / die mich so heiß gelibt /
Die Ich als Brüder ehrt daß ob Ich schon verterbe
Doch meinem Käyser trew / der Läger Diner sterbe /
Daß Ich die Nahmen / groß / Fürst / glücklich / jtzt
verlacht
Weil deß Gerechten mich und Treuen herrlich macht.   430

Haubtleute.
O Blum der Tapfferkeit! O Sonn und Ruhm der Weisen!
Vor dessen Mund dein Rom / vor dessen Faust und Eisen
Der strenge Parth' erschrickt! O daß du minder fromm /
Und mehr verwegen! ach! wie würde dieser Strom
Der dein bestürmtes Schiff / wil in den Abgrund neigen   435
In einem Augenblick sich theilen und verseigen!
O daß du minder fromm! wie stünd es Antonin!
Und mehr verwegen! ach! der Mörder wär jtzt hin!
O daß du minder fromm! und etwas mehr verwegen!
Wie wolten wir die Gifft von Rom und Reich außfegen!   440

---

436 verseigen = versiegen, vertrocknen; frühnhd. verseihen, Part. ver-
sigen. Grimm 12 I 1267.

Reyen der Rasereyen und deß Geists Severi.

*Käyser Bassianus erscheinet auff einem Stul schlaffend / von
etlichen geflügelten Geistern wird ein Amboß mit Hämmern
auff den Schaw-Platz bracht / auff welchem die Rasereyen
einen Dolch schmiden.*

Alecto.

Rüstig jhr Schwestern / es fordert die Rache /
Gläntzende Dolchen beschleunigt die Sache /
Leget die dampffenden Fackeln bey Seite /
Biß man das Werckzeug der Straffen bereite.
Last uns die klingenden Hämmer auffschwingen.   445
Schreckliche Themis es müsse gelingen /
Was wir den Mörder zu stürtzen beginnen!
Sterbliche solten wir schlummernde können
Eure gehäuffete Frevel vertragen /
Die uns zu richten und rechten betagen /   450
Eher wird Phebe die Sonne verkennen /
Eher wird Thetis hell-lodernd verbrennen /
Als Jhr! O Thörichte! je mit gedeyen
Werdet die Rechte der Götter anspeyen.

Die Rasereyen zusammen.

So wie die Schläg auff diß Eisen abgehen   455
Müsse wer schuldig die Hämmer außstehen
So wie die Funcken umbfligen und springen
Müsse der Blitzen sein Hertze durchdringen
So wie sich Feuer und Stahl hir vermählen
Muß jhn der Fluch auch durchbrennen und quälen.   460

Megaera.

So schlage Gottes Zorn auff sein verdammtes Haubt
Es werd' Jhm Stand und Ehr und Gut und Leib geraubt
Es falle sein Geschlecht

450 betagen = vor Gericht laden.

Und lebe doch zu ewig stetem Hohn
Und schaue wie das Recht   465
Verkehr in nichts den ungerechten Thron.

Die Rasereyen.
So wie die Schläg auff diß Eisen abgehen / etc.

Tisiphone.
Er rase Sinnen-loß so wie die Klinge zischt
Jhm sey zu mehrer Pein
Und ewig-steter Angst was sein Gemüt erfrischt
Er sinck in Laster ein   470
Und auß Laster in mehr Noth
Und fühle sich stets lebend-tod.

Die Rasereyen.
So wie die Schläg auff diß Eisen abgehen / etc.

Severus.
Brich Erde! brich entzwey!
Der Himmel gibt es nach /
Daß Ich die herbe Schmach   475
Daß Ich das Mord-Geschrey
Daß Ich den Bruder-Mord mit neuem Mord abfege /
Und dich zu Boden lege!

Du / nun nicht mehr mein Sohn!
Pfui! seh' Ich dich noch an!   480
Pfui! wie daß Ich noch kan
Dich meines Stammes Hohn
Dich Seuche deiner Zeit / ob der der Welt wird grauen
Dich Schlangen-Zucht anschauen?

Gerechte Schwestern! gebt!   485
Gebt eurer Hände Werck!
Erfrischt mit neuer Stärck

Was von Sever noch lebt /
Reicht mir den scharffen Dolch last mich bestürtzten Alten /
Eur Rach-Ambt doch verwalten.   4⁴

Die Rasereyen.

Nim hin was auff deß Himmels Schluß
Zu ernster Straffe dinen muß.

Severus.

Schaw wie mein Kind durch dich /
Ertz-Mörder untergieng /
Als es die Stich empfieng /   49
So wil durch disen Stich
Ich (wie du bist mit Jhm Verräther umbgegangen)
Auch Rach und Ruh erlangen!

*Die Geister verschwinden zugleich / der Käyser erwachet und
gehet traurig ab.*

Die Fünffte Abhandelung.

Der Käyserin Cämmerer. Papinianus.

Mein Herr: Die enge Zeit vergönnt an disem Ort /
Bey so verwirrtem Lauff uns leider wenig Wort.
Er siht wohin sein Glantz (O Licht der Welt) verfalle:
Rom zittert über Jhm / und starrt; wir trauren alle;
Doch eine Seel allein sorgt standhafft noch vor Jhn /
Wir sehen Julien in Jhrem Sohn verblühn:
Sie hat der heisse Schmertz so hefftig nicht gebunden /
Daß Sie ohn Wehmut könt empfinden seine Wunden.
Sie beut Jhm Jhre Recht': Er reich' Jhr seine Hand /
Und rette Sie und sich Jhr beyder Heil und Stand /

Besteh' auff beyder Trew. Jhm steht das Läger offen;
Sie hat durch Jhn den Thron und Er die Cron zu hoffen.
Nur muttig sich erklärt.

Papinian.   Fällt unter so vil Pein
Der grossen Julien noch mein Gedächtnüß ein:
So überlege Sie wie Ich vorhin gestanden /   15
Und glaube daß Ich noch (ob Pein und Tod verhanden
Und nach der Seelen ziel) zu wancken nie gedacht.
Der Käyser blitz' auff mich / mißbrauch' erhitzter Macht /
Und suche meinen Fall / doch wil Ich treue sterben.
Ich suche keinen Thron durch Meuchelmord zu erben.   20

Cämmerer.
Wer leider hir zu trew hat Hals und Leib verschertzt!

Papinian.
Dem Fürsten ward das Pfand der Trew hirauff versetzt.

Cämmerer.
Dem Fürsten! der numehr der Treusten nicht verschonet.
Man ist / wenns Cronen gilt / der Trew gar ungewohnet.

Papinian.
Mir wird was ungewohnt bey frembder Noth anstehn.   25

Cämmerer. Läst Er die so Jhn acht in Jhrer Angst vergehn?

Papinian.
Sie wag Jhr Schiff nicht mehr auff die ergrimmte Wellen.

Cämmerer.
Sie sucht das Sein' auß Sturm in sicheren Port zu stellen.

Papinian. Sie leide sich und ruh' und meyde die Gefahr.

Cämmerer.
Sie rufft Jhn auff den Stul von schwartzer Todten-Baar.   30

Papinian.
Die Mir die Tugend selbst zum Ehren-Bett' auffsetzet /
Die Ich weit über Stül und Lorber-Krantz geschätzet.
Man red uns nicht mehr ein / und ob es wol gemeynt /
Taug doch die Meynung nichts! wer meinen Fall beweint
Siht nicht wie hoch Ich sey durch disen Fall gestigen /   35

Cämmerer.
Ach leider wenn sein Haubt wird vor dem Richt-Beil ligen.

Eugenia Gracilis. Papinianus Hostilius. Papinianus.
Ein Haubtmann.

Ach was erwarten wir! warumb die grauen Haar
Auff disen Tag verspart! was sind die langen Jahr
Als Staffeln zu der Angst / die das gekränckte Leben
Nach so vil rauer Qual dem Abgrund übergeben?   40
In welchem Ehr und Ruhm und Stand und Glück
                    versinckt
Und unser hoffen selbst in tiffster Schmach ertrinckt.
Mein Sohn! ach wenn du mir die Augen zugedrücket!
Wenn du den kalten Leib zu letzter Grufft beschicket /
Eh dises Licht anbrach! hätt Ich nach höchster Lust   45
Das lib' Elyser-Feld mit Freuden-voller Brust /
Umbkräntzt mit deiner Ehr und hohem Glantz besuchet!
O wüntschen sonder Frucht!

Papinian.   Wer nur dem Wechsel fluchet /
Und bloß die Hoheit libt / die auff- und untergeht:
Nicht anders als Dian, die jtzt in Flammen steht /   50
Bald aber zanckicht wird / und ehe sie sich theilet
Schon vor der Sonn erblast / und in jhr dunckel eilet /
In dem Sie gantz verschwindt: Der kennt das strenge Recht
Deß schnellen Lebens nicht. Was sterblich: Schwebet schlecht
Auff lauter Ebb und Flutt. Was uns pflag groß zu machen / 55
Was vor der Welt uns zirt; das sind geborgte Sachen.
Was druckt und was man druckt / ist nur der leere Tand.
Im Hertzen steht der Schatz den keiner Rauber-hand /
Im Hertzen blüht der Ruhm / den keine Macht entführet.
Was Mutter mich und dich auff unvergänglich ziret: 60
Nimmt uns kein Bassian. Heut ist der grosse Tag
Den wir uns trew und huld / mit Lust bejauchzen mag.
Der Tag ists welcher dich zu einer Mutter machet /
Deß Sohnes / der den Trotz der rauen Macht verlachet /
Deß Sohnes der vor stand / und Gold / Gewissen schätzt / 65

51 zanckicht = zackig, spitzig, mit Zacken oder Spitzen versehen (zu
Zanke); vgl. Grimm 15, 248; hier: von den Hörnern des Mondes (Dian).

Und vor das Heilge Recht / den reinen Leib auffsetzt.
Diß ist der Tag der mir die Ewigkeit bescheret.
Der mir was Zeit noch Leid zutreten kan / gewehret.
Auff Mutter! trockne denn diß thränende Gesicht.
Mißgönne mir und dir die herrlichst Ehre nicht.   70
Hostilius.
Mein Sohn! wehn wolten nicht die hoch-erlauchten Sinnen /
Der unerschreckte Mutt der grosse Geist gewinnen?
Welch Vater solte nicht ob einem solchen Sohn
Sich freuen vilmahl mehr denn über Stab und Cron?
Doch leide: Daß Ich noch mein schmachtend Hertz
                              außgisse /   75
Das über deiner Noth die heisse Schmertzen risse
Durchfoltert und zuzwickt. Man nennt diß Leiden schön;
Wahr ists daß Socrates mit Ruhm muß untergehn.
Callistenes verfil zu deß Pelloeers Schande
Und jmmer neuen Schmach. Athen beseufftzt die Bande   80
Deß tapffern Phoeions, die / die jhm Gifft gemischt;
Hat die geschwinde Rach in höchstem Grimm erwischt.
Der grosse Seneca hat als er auffgeriben /
Deß Fürsten grause That mit seinem Blutt beschriben.
Deß freyen Paetus Lob kan nimmermehr verblühn /   85
Und Burrhus Redli[ch]keit wird keine Nacht bezihn.
Schön ists / mit einem Wort / den Geist vors Recht
                              hingeben /
Doch schöner Recht und Reich erretten durch sein Leben.
Wer vor die Tugend fällt: thut wol. Der noch vilmehr
Der vor die Tugend steht. Wenn Aeolus zu sehr   90
Sich gegen Segel setzt / und die getrotzte Wellen
Mit Schlägen / Schaum und Sand das müde Schiff
                              zuschällen:
Gibt man den Winden nach / und rudert wie man kan /
Nimmt keine Strich' in acht / fährt rück- auch seitwerts an /
Biß sich der Sturm geschwächt; denn eilt man einzubringen   95
Was vor auß Noth versäumt. So muß die Fahrt gelingen!
So bringt man Schiff und Gutt an das gewüntschte Land /

Wer hir sich widersetzt und durch das freche Band
Der tollen Klippen rennt: muß sammt dem Mast
versincken.
Es ist / ich geb es nach / schwer / grimmer Fürsten wincken 100
Stets zu Gebote stehn / doch kan ein grosser Geist
Durch Sanfftmut / offt / die Macht die alles trotzt und
reist /
Entwehren: Daß Sie sich als ein Gewitter lindert.
Man geb umb etwas nach. Wenn man den Strom verhindert
So reist er strenger durch. Offt hat geringe Zeit / 105
Offt ein gelinder Wort / die scharffe Grausamkeit
Bezwungen und bepfählt. Wenn die nun stillen Sinnen /
Deß heissen Zornes leer: denn kan man vil gewinnen.
Denn pflantzt man Redli[ch]keit auch Wunder-thiren ein.
Zäumt Löwen / baut das Heil der sorgenden Gemein. 110
Denn rettet man sich selbst / bringt Länder auß verterben.
Schützt Völcker / bauet Städt / und zeucht auß Fall und
Sterben
Wornach der Tod schon griff.

Papinian.   Genung! ich merck' es schon
Die Väterliche Lib' und Neigung zu dem Sohn
Bringt dise Meynung vor. Papinian soll hören 115
Was bey dem Unfall kan ein Röm'scher Rath-Herr lehren.
Hostilius versteht daß sein Papinian
Woll sterben: Aber nicht dem Mörder schmeicheln kan.
Man muß je Fürsten was zuweilen übersehen!
Nicht stets entgegen gehn / bemänteln was geschehen / 120
Verdecken manchen Feil / erinnern wenn es Zeit /
Anzeigen wo gejrr't: Und mit Bescheidenheit.
Wenn aber solch ein Stück ob dem die Welt erzittert /
Ob dem was nah und fern bestürtzt / und höchst erbittert /
So sonder Schew verübt / stehts keiner Seelen frey; 125
Daß Sie so schnödes Werck vor schön' und recht außschrey.
Hir fordert mich der Fürst! wie könt Ich doch entweichen?
Er steht nach meinem Ruhm. Eh muß die Sonn' erbleichen:
Als daß Sie Mich befleckt / verzagt / und feig anschaw.

Ich weiß daß Antonin selbst ob der Mord-That graw;   130
Solt Ich denn solch ein Stück / trotz Sinnen! trotz
                                    Gewissen!
Außstreichen? Und die Faust die noch blutt-triffend /
                                    küssen?
Nein! Nein! es koste Stand / es koste was es wil!
Mein Vater! wer verleurt; gewinnt auff disem Spil.

E u g e n i a.
Ach was verlir Ich nicht! O Stab der müden Jahre!   135

H o s t i l i u s.
O letzter Trost! O Ruhm! O Schutz der grauen Haare!

P a p i n i a n.
Eur beyder Lebens-Schiff / eilt an das libe Land /
Und darff nicht vilmehr dinst. Vergönnt daß Ich die
                                    Hand /
(Weil es deß Himmels Schluß) dem Ruder was entzihe;
Vergönnt daß Ich dem Sturm der ankommt / schnell
                                    entflihe.   140

H o s t i l i u s.
O Dinst! O Schiff! O Sturm! O Schiffbruch an dem Land!

E u g e n i a.
O wer gibt meiner Asch' ein leichtes Häufflein Sand!

P a p i n i a n.
Geduld und Tugend kan ein ewig Grabmal stifften.

E u g e n i a.
Wie wird mir? Jrr ich schon in Leichen-vollen Grüfften?

H o s t i l i u s.
Ja freilich bin Ich schon ein leben-loser Leib /   145
Der Freunde Furcht und Angst! der Feinde Zeit vertreib!
Deß Käysers Haß und Schimpff!

P a p i n i a n.   Nun Vater! Er betrachte;
Vor wehn Jhn Reich und Volck und Rom und Nach-Welt
                                    achte!
Gebt Römscher Rath-Herr! gebt nicht zarten Schmertzen
                                    nach!

132 außstreichen = herausstreichen, loben.

Ein steiler Felsen steht / ob schon die schnelle Bach
Hell rauschend umb Jhn scheust. Eugenie bedencket
Daß Euch durch meine Schmach stets blühend Lob
                              geschencket!
Entweicht! man fodert uns! verschmertzt was euch betrübt!
Der zagt vor keiner Angst der Recht und Götter libt.
Was bringt der Haubtmann vor?

H a u b t m a n n.   Der Käyser hat befohlen /
Durchlauchter / alsobald Jhn in den Rath zu holen.

P a p i n i a n.
Ich komm.

H a u b t m a n n. Ach werther Held! Er nehme sich in acht!

P a p i n i a n.
Ich thu's! und bin auff mein / und's Käysers Heil bedacht.

H a u b t m a n n.
Man sagt: es sey sein Ambt schon andern übergeben.

P a p i n i a n.
Es wird ein ander kaum nach meinen Sitten leben.
Mein Nachsaß (glaubt es fest! die Seele gibt mirs ein!)
Wird thöricht: oder bald mein ernster Rächer seyn.

*Bassianus. Papinianus. Sein Sohn. Die Auffwärter deß Käy-
sers. Papiniani Diner. Die Schergen mit den Welle-Beilen.*

B a s s i a n.
Wir sind / Papinian, auff die Geheimnüß kommen!
Die Nebel-Kapp' entfällt / weil was Er vorgenommen;
So hell als Phoebus stralt / vor aller Augen ligt.
Was ists daß man uns stets mit Worten eingewigt?
Daß man so steiff auff Recht und Heili[g]keit kan pochen?
Wenn man verschworne Trew leichtsinnig hat gebrochen?

P a p i n i a n.
Mir kommt was Antonin vor Sonnen-klar außgibt:

vor 163 Welle-Beilen = die im Reisigbündel steckenden Beile; vgl.
Grimm zu ²Welle Bd 14 I 1395. 1430.

Noch zimlich dunckel vor. Wer reine Tugend libt: 170
Bricht weder Trew noch Eyd und achtet kein verklagen /
Dafern Er hinderrücks wird gifftig angetragen.

Bassian.

Was noth / daß man die Sach' als frembd' ins ferne stöst:
Wenn der verdeckte Grund der Sinnen schon entblöst?
Kennt man die Häubter nicht die sich auff uns
verschworen?   175
Und Getam zu dem Thron durch unsern Tod erkoren?

Papinian.

Es sey auch wie es sey! hir ist mir nichts bekant.

Bassian.

Bot nicht Papinian Jhm selbst Rath / Hülff und Hand?
Wie steht Er so verwirrt? So starrend? Was zu schlissen?
Schaut an! Jhn überweist sein überzeugt Gewissen!   180

Papinian.

Ich starr! und bin verwirrt / ob diser neuen List!
Frey aller Schand und Schuld! Komm wer du Kläger bist!
Komm wer du zeugen kanst! entdecke mein Verbrechen!
Trit vor / der du mich wilst ob solcher That besprechen!
Wer ists mit dem Ich je auff solche Sprünge kam?   185
Den Ich bereden könt' und in den Bund annam?
Mein Fürst! Ich bitt umb Recht! bin Ich zu überweisen;
So fall Ich willigst hin. Man brauche Stahl und Eisen /
Und was gerechtes Recht auff Ertz-Verräther setzt.
Wofern Verläumbdung sich mit diser Schmach ergetzt;   190
So richt auch / wer sich stets vor meinen Feind erkläret /
Und sprech ein Urtheil auß. Was jrr ich? Man beschweret
Mein' über-reine Seel auß Neid / mit diser Schuld /
Damit man meinen Tod beschöne! Nur Geduld!
Die Welt ist nicht so blind / noch so verführter Sinnen;   195
Daß sie durch solche Träum' und Mährlin zu gewinnen.
Glaubt es der Käyser wol / (wie hoch er auch erhitzt)
Daß sich Papinian mit solcher Schmach beschmitzt?

---

172 angetragen = angeklagt, angeschwärzt.

Bassian.

Die Sach' erlaubt uns nicht ein lang Gericht zu hegen.
Papinian kan leicht die Klage widerlegen: 20
Wenn Er mit erster Trew deß Käysers Schluß außführt.
Was sind vil Worte noth wo man die Wercke spürt?
Fragt Er; ob Antonin Jhn ob der That verdencke?
Wir fragen: Ob Er uns mit Ungehorsam kräncke?   20
Doch glimmt die Libe noch in seines Fürsten Brust.
Da Jhm Papinian der schnöden That bewust:
So glaub Er wir verzeihn: Er bitt uns nur die Hände;
Und baw auff erste Pflicht ein wol-gewüntschtes Ende.
Dafern er sonder Schuld; warumb sich widersetzt?
Und durch hartneckicht seyn deß Fürsten Macht verletzt?   21

Papinian.

Jhr Götter die Jhr jtzt / und wenn wir nun
                                        entschlaffen /
Die vorgesetzte Lust / und wol-verdinte Straffen /
Ohn jrren zuerkennt / die niemand trügen kan;
Ich ruff euch auff diß Haubt zu Zeug- und Richtern an!
Gönnt / wo Ich ursach je zu disem Wahn gegeben: 21
Mir nimmer Rast noch Ruh! es schwerme nach dem
                                        Leben
Mein hart-beklämmter Geist durch dicker Nächte Lufft!
Und wimmer / seufftz' und heul' umb meine Todten-
                                        grufft!
Der Fürst verzeihe dem / der was Ich nie verrichtet /
Der was Ich nie gedacht; mir Gottlos angedichtet.   22
Mir seh er keine Schuld / list noch verbrechen nach;
Weil wider Jhn mein Hertz mit Vorsatz nichts verbrach.
Ists tödlich / daß Ich nichts thu wider mein Gewissen /
Daß der von Jugend auff der Rechte sich beflissen /
Auff den die grosse Welt mit vollen Augen siht /   22
Der für deß Fürsten Ehr unendlich sich bemüht /
Ein Stück das Antonin in heissem Zorn begangen /

---

198 beschmitzt = beschmutzt.

Nicht außzustreichen weiß: so wüntsch Ich mit verlangen /
Den höchst-gelibten Tod. Ich bin deß Lebens satt!
Das so vil krummer Gäng und wenig rechter hat. 230

B a s s i a n. Der geht sehr krumm der stets die höchste Macht
wil richten!

P a p i n i a n. Krumm geht / wer Laster lobt / und Tugend
kan vernichten.

B a s s i a n.
Hört den vergällten Mund / den falsch-gesinnten Geist.
Was hält uns länger auff? Die rasend Ehrsucht reist
Den Mann auff frembde Werck'. Jtzt! jtzt ists Zeit zu
thämmen! 235
Und den geschwellten Mutt durch letzten Zwang zu
hemmen!
Er siht sein einig Kind / und siht es jtzt zu letzt /
Wo er mit einem Wort sich ferner widersetzt:
Stracks Diner! Stock und Beil.

P a p i n i a n i   S o h n.   Es ist ein Mensch geboren!
Und als ein Mensch dem Tod in der Geburt erkoren / 240
Geboren in die Welt! doch von Papinian!
Geboren / wo man nur durch Tugend leben kan!
Erkoren von dem Tod als mich die Welt empfangen!
Erkoren von dem Tod der stets mir nachgegangen!
Noch an der Mutter Brust! der Vater bebe nicht! 245
Mir wird der schöne Tod zu einem hellen Licht;
Das als ein schimmernd Stern wird durch die Nach-Welt
stralen /
So lang als Phoebe soll die braunen Wolcken mahlen.
Mein Vater!

B a s s i a n.   Reist jhn fort!

P a p i n i a n.   Warumb? Der Käyser hör!

B a s s i a n.
Warumb? Umb daß er Sein!

S o h n.   Und theilhafft seiner Ehr! 250

P a p i n i a n. Mein Kind! Mein wahres Blutt! du stirbst!
doch sonder Schande!

Vor mich! zu meiner Straff! entschlisst die ehrnen Bande!
Ich habe / nicht mein Kind / deß Käysers Grimm entsteckt!
Mein steiffer Vorsatz hat den harten Zorn erweckt /
Ich komm / und bin bereit mit meinem Haubt zu büssen /   2

B a s s i a n.
Der Käyser wil von dir nichts denn Gehorsam wissen.

P a p i n i a n.
Wol! wol! so stirb mein Kind! weil es der Käyser heist!
Wir sind gehorsam! Fürst! ein unerschreckter Geist /
Thut willig: was uns nur das Heilge Recht erlaubet.

S o h n. Nun Vater! gute Nacht!

P a p i n i a n.   Der grimme Zufall raubet /   2
Mein Sohn / dir Jahr und Stand / und was die Erden
                                        schätzt;
Doch schenckt Er was kein Beil noch Sturm deß Glücks
                                        verletzt.
Mein Sohn! stirb unverzagt! diß Leben ist ein krigen /
Voll Angst / ein solcher Tod: das allerhöchste sigen.

B a s s i a n.
Der Sig wird warlich dir gar nicht ersprößlich seyn.   2(

P a p i n i a n.
Diß ist der höchste Sig / daß mein Gewissen rein.

B a s s i a n.
Schaut Völcker / dises heist vor grosser Weißheit rasen /

P a p i n i a n. Solch rasen hat mir nie die Geister angeblasen.

B a s s i a n. Es bläset in den Wind was dich so groß gemacht.

P a p i n i a n. Wind / Schatten / Rauch und Sprew ist aller
                                        Menschen Pracht.   27

B a s s i a n.
Das zeugt Papinian, der Nichts auß Allem worden.

P a p i n i a n. Es stürmt heut auß dem Ost / und morgen
                                        leicht auß Norden.

B a s s i a n.
Der Sturm riß deinen Stamm mit Ast und Wurtzel auß.

---

253 entsteckt = angesteckt, entzündet; vgl. Grimm 3, 631. S. auch V 369.

Papinian.
    Vor zweiffelt Ich; nun hab ich ein beständig Haus.

Bassian.
    Beständig / wenn dein Sohn in eignem Blutte badet.   275

Papinian.
    Dem weder Beil noch Grimm deß Fürsten hat geschadet.

Bassian.
    Geschadet? Bringt hervor sein abgeschmissen Haubt!

Papinian.
    Nun seh Ich / O mein Kind! was Ich von dir geglaubt!
    Ich schaw den hohen Mutt! die unverzagten Sinnen!
    Die nicht durch Furcht / durch Angst / durch dräuen zu
                        gewinnen /   280
    Die in den frechen Tod sich unerschreckt gewagt.
    Die / ob dem alles bebt / und zittert / nicht verzagt.
    Die standhafft / ob wol zart! vor Threnen / Blutt
                        vergossen /
    Und engen Lebens-Zil / mit weitem Ruhm beschlossen.
    Rühmt Eltern eure Frucht die umb deß Landes Heil /   285
    Für Wund und sterben bot das edle Leben feil!
    Mir bleib es unverwehrt den Sohn recht außzustreichen /
    Der für Recht / Gott / und Land und Vater wolt
                        erbleichen!
    Der meine blühend Ehr ergetzt durch disen Preis!
    Und seine fest gestellt! wie grosser Väter Fleiß /   290
    Und Glück / und Ruhm ist nicht auff erstes Kind
                        abkommen!
    Durch das der Ahnen Licht beschwärtzt und
                        abgenommen!
    Wie wenn Diane sich vor Jhren Phoebus stellt /
    Und den durchlauchten Glantz entzeucht der trüben Welt.
    Den grausen Kummer kan mir der Verlust benehmen.   295
    Ich darff deß meinen mich weil Menschen sind nicht
                        schämen.

296 weil Menschen sind = solange Menschen sind; ,weil' im Sinne von
,so lange als'; vgl. Grimm 14 I 762.

*Bassian.

   Was rath! deß theuren Manns standhaffte Tapfferkeit
   Lockt aller Hertzen an! uns zwingt die raue Zeit
   Auff Heil und Reich zu sehn. Soll unser Land denn sagen
   Wie steiff Papinian sich gegen uns getragen!   30
   Der ob die Lippe schweigt; uns raw und herb auffrückt /
   (Entschuldigt ers nicht selbst) was unser Hertze drückt!
   Soll Rom und Läger denn stets auff uns beyde sehen?
   Und weil es jenen lobt: Uns höchst-empfindlich schmähen?
   O Götter! hätt Er uns nicht tausendfach verpflicht.   30
   Doch wenns an Zepter geht / gilt Dinst und Freundschafft
                        nicht.
   Man muß! wir haben schon sein Blutt vergissen lassen!
   Man gab / Jhm anlaß sich zu rächen / uns zu hassen!
   Solt Jhm / was wir verübt nicht zu Gemüte gehn:
   So must in seiner Brust kein Vater-Hertze stehn?   31
   Ach! müssen wir die Faust in seinem Blutte färben!
   Wir müssen! ach! es sey! PAPINIAN soll sterben.

Papinian.

   Gar willig! grosser Fürst! diß kan / diß wil Ich thun!
   Es müsse von nu an die lange Zancksucht ruhn /
   Die Hof und Hof zertheilt / und Freund auff Freund
                      verhetzet!   31
   Es falle was bißher / dir Rom / sich widersetzet!
   Last Götter mich vor Fürst / vor Rath / Volck und Gemein /
   Vor Läger / Land und Reich / ein rein Sün-opffer seyn!
   Ade gelibte Stadt! Beherrscherin der Erden!
   Es müsse deine Macht umb so vil grösser werden;   32
   Als Ich mich vor dein Heil auffrichtig stets bemüht!
   Ade sigreicher Fürst! der ins verborgen siht;
   Siht das sein Ruhm allein der Zweck sey meiner Thaten.
   Gebt Götter / die dem Thron so wol und besser rathen;
   Als Mir je möglich war. Kommt Diner! kommt herzu!   32
   Versichert Plautien daß Ich in lange Ruh /

---

* Redet allein / indessen treten die Hofe-Leute so dem Käyser auffwarten zu Papiniano und reden in der stille mit Jhm.

Auß langer Noth versetzt! sie mässig' jhre Zehren!
(Die wo was nach uns bleibt die Geister mehr beschweren /
Als wol der Pövel meynt) Sie glaub! ob wir geschwind
Doch / durch der Parcen Schluß / auff kurtz getrennet sind! 330
Sie halt ob dem was uns kan nach dem End erheben!
Sie ehre meinen Tod / und folge meinem Leben!
Erinnert die / die mich in dises Licht gebracht;
Daß ein durchlauchter Tag uns reiss' auß langer Nacht.
Nemt Kleid und Mantel hin! wenn sich das Schaw-Spil
endet /   335
Wird der geborgte Schmuck / wohin er soll / gesendet.
Man halt in meinem Hof umb mich kein Tod-geschrey!
Wer noch leib-eigen dint; sey loß. Ich geb jhn frey.
Und hirmit / gute Nacht! bleibt Freunde bleibt gesegnet!
Bleibt Helden bleibt gegrüst! wer seiner Noth begegnet: 340
Befödert seine Lust / und wird / wie klein er / groß.
Jhr die den Spruch außführt: Kommt Hals und Brust ist
bloß.

Heilge Themis die du Sitten
Ins Geblütt hast eingepflantzet;
Die der grimmen Völcker wütten /   345
Durch gemeines Recht umbschantzet;
Und durch diß was du gesetzt
Dein gelibtes Rom ergetzt;
Gönne daß Ich dir zu Ehren
Dir / die Ich jtzt sterbend grüsse;   350
Die Ich annoch sterbend libe;
Mein nicht schuldig Blutt vergisse.
Und /. (wo Ich was bitten kan)
Schaw diß Reich heilwertig an!

Scherge.
    Geschehn! was mir der Fürst hat anbefehlen wollen /   355
Bassian. Du hättest unser Wort / durchs Schwerdt /
außführen sollen /
Wie wird uns! ist er fort? Ligt nicht die Leich allhir?
Wir jrren! Geta seufftzt und winselt für und für.

Ach Vater! ach Sever! ach Bruder! ach wer springet
Mit Fackeln umb uns umb? Wer stöst uns! ach wer
                                        schwinget   36
Das von Blutt rothe Schwerdt? Wie? Bricht der Grund
                                        entzwey?
Wer bläst das Streit-Horn! ach! wir spüren was es sey:
Wie wir durch Beil und Stahl zu wütten sind geflissen
So wüttet in uns selbst ein rasend toll Gewissen.

Papinianus Hostilius. Eugenia Gracilis. Die Reyen deß Römi-
schen Frauenzimmers. Der Erste Diner Papiniani. Der Ander
Diner. Reyen der Diner Papiniani. Beyde Leichen.

H o s t i l i u s. O Seelen die Jhr noch bey uns / nun alles fällt / 36
In wahrer Treue steht! die Rom / der grossen Welt /
Als Lichter unser Zeit / ruhm-würdigst vor wird stellen /
Jhr die Jhr uns / die wir verteufft in Unglücks-Wellen /
Noch Händ und Armen reicht / und den entsteckten
                                        Grimm /
Deß Fürsten Euch bemüht / durch Anmut Eurer Stimm / 37
Durch seufftzen / durch gewein und Vorbitt aufftzuheben;
Die jhr uns Sohn und Heil jtzt wieder sucht zu geben;
Geht hin! O Sonnen geht! vertreibt die schwartze Nacht /
Die alles auff dem Hof bestürtzt und dunckel macht /
Geht hin! es ward wol eh ein reissend Löw beweget; 37§
Daß er sich auff die Schoß der zarten Frauen leget /
Und Raub und Zorn verliß! geht! was der Mund nicht
                                        spricht;
Bringt Stamm / und Schönheit vor / und eur bethränt
                                        Gesicht.
Die Rosen die der Taw der Zehren übergossen /
Der Zehren die vor uns und unser Blutt geflossen / 38(
Geht ringt nach disem Ruhm / daß jhr der Erden Licht /
Deß Fürsten rechte Faust / Astreens Zuversicht

---

369 entsteckten = angefachten, entzündeten; vgl. Anm. zu V 253.

Nach der der Tod schon griff; durch euren Fleiß erhalten /
So müsse nimmermehr eur Haus und Lob veralten!
Geht! und weil mir der Geist nur auff der Zungen hält;   385
Erlangt daß mich die Lust entzuck auß dieser Welt /
Daß Ich die müden Jahr in Hertzens-wonne schlüsse;
Und sterbe / wenn Ich dich mein Sohn / mein Leben küsse /

P l a u t i a.

Kommt Mutter! steurt auff mich den abgezehrten Leib!
Legt den verdorrten Arm umb meinen Hals! Ich bleib /   390
Vor Eure Schnur / jtzt Stab. Kommt außerkorne Frauen!
Freundinnen / den nicht kan vor unserm Jammer grauen.
Umbgebt diß vorhin hoch- jtzt tiff-gestürtzte-Paar!
Kommt! rettet neben mir so vil von einer Baar!

R e y e n. Last uns zu allererst deß Fürsten Mutter grüssen!   395
Sie komm' und knie mit uns zu deß erzürnten Füssen.
Kein grosses Hertz / das selbst ein rauer Unmut nagt;
Hat Beystand / dem der bat / in letzter Noth versagt /

P a p i n i a n i 1. D i n e r.

Reiß Erden! Himmel kracht! raast Zwirbel-wind und sauset!
Jhr steile Klippen springt! getrotzte Wellen brauset!   400
Führt Suden mich von hir wo unerhörte Kält;
Dem Nachruff Grantz und Zil was außzubreiten stellt!
Jagt Norden! jagt mich fort / wo Jhm der Weg verrigelt /
Und durch entsteckte Glutt / der Sonnen gantz versigelt!
Doch ach! wo wüntsch Ich hin! der Schrecken-volle Tag!   405
Die Jammer-schwangre Nacht bebt vor dem Donner-
Schlag!

P l a u t i a.

Ach Götter! ach was ists! ach Himmel ists geschehen
Wo ist Papinian?

---

389 steurt = stützt; von mhd. stiuren: lenken, stützen, helfen. Vgl.
Grimm 10, 2639.
391 Schnur = Schwiegertochter; ahd. snur(a), mhd. snu(o)r; volksüblich
ist ‚Schnur‘ oder ‚Schnürchen‘ noch im westlichen Mitteldeutschland, all-
gemein führte jedoch die Homonymie mit ‚Schnur, Faden‘ zum Untergang
dieser Wortbedeutung. Vgl. Grimm 9, 1394.

1. D i n e r.   Man wird Jhn stracks hir sehen
R e y e n. Sag an! was klagst du denn? Was bringst du
                              schrecklichs vor!

P l a u t i a.
    Wo ist mein Herr und Kind?
1. D i n e r.   Nicht fern! nah an dem Thor!   410
    * Schaut an die treue Schaar bringt sie herein getragen.
    Doch beyden / leider! sind die Haubter abgeschlagen!
    Durch das verfluchte Beil! O Käyser! Rom und Stand!
    O Sohn! O Vater! O gestürtztes Vaterland!

R e y e n d e r D i n e r.
    O numehr! O nun wir in deiner Burg erscheinen!   415
    Ach! steh uns frey zu weinen!
    Flisst Thränen die vorhin der raue Hof verbot!
    Ach / leider ach! ach! ach! Papinian ist todt.

R e y e n d e r F r a u e n.
    O schrecklich Anblick! ach! die müde Mutter starret /
    Und weiß nicht wie jhr wird. Der greise Vater harret   420
    Den Athem einzuzihn! und reist die grauen Haar
    Von dem schir kahlen Haubt / und streut auff jede Baar
    Deß hohen Alters Schnee! Schlag Plautie die Brüste.
    Fall in der Scheitels Pracht! Ja grüsse was dich küste.
    Wofern dein heisses Leid sich hirdurch lindern kan.   425
    Hir ligt dein libstes Kind / hir ligt dein werther Mann!

E u g e n i a.
    Ha! ha! ha! ha! ha! ha! ha! Sohn! ach! Sohn! ach Sonne!
    Verdunckelt durch den Tod in Mittag deiner Wonne!
    Und bin Ich noch nicht hin! O hört mein wüntschen an!
    O Götter! O wofern euch die erbitten kan /   430
    Die nichts zu bitten weiß / als ein geschwindes Ende;

---

    * Beyde Leichen werden auff zweyen Traur-Betten von Papiniani Dinern
auff den Schaw-Platz getragen / und einander gegenüber gestellet. Plautia
redet nichts ferner / sondern gehet höchst-traurig von einer Leichen zu der
andern / küsset zuweilen die Häubter und Hände biß Sie zuletzt auff
Papiniani Leichnam ohnmächtig sincket / und durch jhre Stats-Jungfern
den Leichen nachgetragen wird.

Verwandelt eh als ich mein Kind ins Grab versende /
Mich Mutter sonder Sohn / in einen harten Stein;
Entzieht Verstand und Sinn dem schitternden Gebein /
Last mich wie Nioben in einen Fels verarten;   435
Ich wil den Donner-Stral nun unerschrocken warten.

Reyen der Frauen.
  Ach überhäufftes Trauer-Spil!
  Ach höchster Seelen bluttig Zil!
  Ach können die so schmählich untergehen /
  Die vor das Reich! vor Fürst und Tugend stehen!   440

Hostilius.
  Ja schmählich / dem der Sie zu disem Beil verwiß!
  Euch rühmlich! Sohn und uns! wer so die Welt verliß:
  Besteigt der Himmel Burg! ach aber! ach ich sterbe!
  In dem Ich Euren Ruhm Mein Sohn / und Sohns Sohn erbe!
  Was steht die Ehre mich! verweister alter Greiß!   445
  Was denckst / was gibst du an! verlaßner! ach Ich weiß
  Ich weiß nicht von mir selbst! Ich bin in euch gestorben;
  O hätt Ich dise Gunst vor lange Dinst erworben;
  Daß man das Richt-Beil mir / daß man auff euch gewetzt;
  Mit außgeholtem streich hätt' an den Hals gesetzt.   450

Reyen der Frauen.
  Der arme Vater kan der überhäufften Zehren /
  Sich / was Er Sich auch sucht zu zwingen / nicht erwehren
  Das pfnutzen dringt hervor! nur Plautien gebricht
  Das weinen mit der Red': Jtzt schlägt Sie das Gesicht
  Auff Jhres Libsten Leich / und starrt ob seinen Wangen /   455
  Und küst sein bluttig Haubt. Jtzt eilt Sie zu umbfangen /
  Deß Sohns enthalsten Leib / Jhr zweiffelnd Geist erschrickt:
  Und streitet wo die Lib ein grösser Leid erblickt /

Eugenia.
  Ach! ach! Mein werther Sohn und du mein ander Leben!
  Ach! soll Ich beyder Mich auff einen Tag begeben!   460

---

445 steht die Ehre mich = kostet mich die Ehre, kommt mir die Ehre
zu stehen.
453 pfnutzen = schluchzen; Grimm 7, 1786.

Euch ging das grimme Beil durch Nacken / Mir durch
                    Hertz /
Euch tödtete der Zorn deß Fürsten / mich der Schmertz!
R e y e n   d e r   F r a u e n. Ach Schmertz! ach Leiden!
   Ach bluttig scheiden!

E u g e n i a. Ist diß Papinian! ist diß das Angesicht /   46
   Nach dem sich Rom und Welt als seinem Leit-Stern richt?
   Ist diß die schöne Stirn auff der der Tugend Wesen /
   Und treu' Auffrichti[g]keit außdrücklich war zu lesen?
   Ist diß der weise Mund ob dem die Erden starrt'
   Auff dessen Außspruch man als auff Weissagung harrt'?   47(
   Ist diß die Edle Faust / die Feind und Krig vertriben?
   Und Richtschnur und Gesetz der Nach-Welt vorgeschrieben?
   Ist diß Papinian? Ist diß sein bluttig End!
   Und kracht die Erden nicht / in dem Er in die Händ
   Der Grausamkeit verfällt?

R e y e n.   Ach Ursach! (ach!) zu klagen!   475
   Welch Höllen-donner hat den Lorber-baum zuschlagen?
   Baum unter dessen Zweig man Schutz und Ruhe fand /
   Welch Räuber nimmt dich hin / höchst-schätzbar Himmels-
                    Pfand?
   Wer wird? Wer wird nunmehr die unterdruckten schützen?
   Der Witwen Beystand seyn? Wer die Verwaiste stützen?   480
E u g e n i a.
   Und du mein Morgen-Stern! O Hoffnung von dem Stat;
   Stirbst umb deß Vatern Schuld / der keine Schuld nicht hat!
   O weh! O soll Ich dir die Augen leider schlissen?
   Und Zehren auff dein Blutt (Ich armes Weib!) vergissen?
   O Rose die der Sturm in erster Blüt abriß!   485
   Wie daß Ich / nicht noch nechst den müden Leib verliß?
   Ja nicht vor Wonne starb da Rom dich selig schätzte /
   Und sich ob deiner Ehr und Schaw-Spil höchst ergetzte!
   Du hättest meinen Geist mit deiner Seel umbfast?
   Du hattest was Ich jtzt soll thun / der Glider Last /   490
   Der letzten Glutt vertraut / und die noch übrig' Aschen
   Und diser Knochen Rest / mit Thränen abgewaschen /

Die mich vor Balsam / Myhr und Aloen erquickt!
O eitel wüntschen ach! ach! ach! der Himmel schickt
Was wider Recht der Zeit / die mich bestatten solten;   495
Erfordern diß von Mir! heist diß die Müh vergolten!
O Schluß der Götter ach! Ich / die nicht tüchtig bin
Leb und schwerm auff der Welt / die tüchtig sind: sind hin!
Schaut an mir schaut und lernt was wir zu hoffen haben!
Auff einmal soll Ich Kind und Kindes-Kind vergraben.   500
H o s t i l i u s. Vergraben / Stamm und Haus und Hülff /
                   und Schutz und Ehr!
Doch Nein! die Ehre blüht und wächst je mehr und
               mehr /
Mein Sohn! auß deinem Blutt. Doch ligt Jhr auff der
               Baare /
Verwaister Eltern Schmertz und Stab der letzten Jahre.
O Jahr! O Stab! O Angst! mein krachend Hertz erstickt: 505
In dem euch durch eur Blutt gefärbte Purper schmückt.

R e y e n   d e r   F r a u e n   u n d   D i n e r   z u s a m m e n.
Ach wer wird Rom die Bluttschuld dir abwischen /
Durch die die Zwey jhr reines Blutt vermischen.
Ach! ach! O Fluch! O Schmach! ach Schmertz! ach Leiden!
Ach kläglich scheiden!   510
D e r   2. D i n e r.
Betrübte / die Jhr hir in lauter Thränen schwimmt /
Seht vor Euch! Grimm auff Grimm und Trotz auff Trotz
               entglimmt.
Deß Fürsten Zorn scheint gantz in rasen sich zu wandeln /
Er heist was hir und dar erwürgt auffs hefftigst handeln.
Man schleifft durch Gaß in Gaß / in Hacken Leich auff
               Leich /   515
Ach daß Papinian der harten Schmach entweich!
Daß nicht sein Eingeweid beflecke Stein und Erden!
Eilt / last die Tyber nicht deß Greuels fähig werden.

514 handeln = behandeln, umgehen mit.

Wo waschen wir uns wol von diser Unthat rein /
Wenn der geweihte Fluß selbst wird entweihet seyn.   52

Hostilius.

O! kan ein Schweffel-Pfeil auff schon entleibte blitzen!
Kan sich die freche Glutt auff todter Asch erhitzen!
Welch Nord reist Wurtzeln auß? Wenn er den Stamm
                                              zubrach
Eilt! eilt! tragt Baar und Leich ins innerste Gemach /
Schafft schleunigst was man darff zu beyder letzten Ehren / 52
Kommt Diner! mich verlangt die Reden anzuhören /
Wormit Papinian die schöne Thaten schloß
Mit welchen er sein Blutt vor Fürst und Recht vergoß.

Reyen der Frauen.

Halt! Plautie Sie sinckt zu Jhres Liebsten Füssen.
Bestürmte Plautie! ob Er dir schon entrissen   53(
Doch lebt sein hoher Geist in deiner keuschen Brust /
Sie ligt gantz Athem-los!

Eugenia.   O angenehme Lust
O Sterben (wo du tod) das über alles Leben!
O Ruh (wo dich der Geist auff kurtze Zeit begeben)
Tragt! tragt Sie mit Jhm hin: Kommt Jungfern! helfft uns
                                              nach!   535
Ich lebend-Todte folg' euch Todten! wo die Bach
Der Thränen sich verstopfft; so soll mein Blutt abrinnen
Und mit dem Geist den Gang durch jedes Glid gewinnen.

Reyen der Frauen.

Wir folgen doch nicht dir O Held zu deiner Grufft
Nicht dir den Ewigkeit in jhre Festen rufft!   540
Wir folgen grosser Mann höchst-klagend und gedencken
Das Recht mit deiner Leich und Sohn ins Grab zu sencken.

Ende.

Andreae Gryphii
Kurtze Anmerckungen über seinen
Papinianum.

Hochgeehrter Leser. Wie ich nimals mir eingebildet / daß
meine Sachen einer weitläufftigen Außlegung / als wenn in
dehnen sonder Dunckelheiten oder Geheimnüsse verborgen /
bedörffend: also weiß ich daß andern / auch weit-berühmtern
Seelen nicht wol gedeutet / daß sie über jhre eigene Schrifften
sondere Anmerckungen an den Tag gegeben. Von Johanne
Pico Mirandula schreibet ein bekanter Mann: Extant ejus
sacra Poemata, suis quoq; Commentariis illustrata, ne legen-
tibus minus clara viderentur. Auch ist mir der Verweiß nicht
unbekant / den Trajanus Boccalini unter dem Namen Apol-
linis, Johanni Paulo Lancellotto gegeben. Nichts weniger
habe ich / mehr andern zu gefallen / als daß ich es hoch-
nöthig hilte bey disem meinem Trauer-Spil dises wenige
erinnern wollen. Und zwar in der ersten Abhandelung bey
dem 21. Vers. *Daß du die Spitz' erreicht.* Papinianus war
nunmehr so hoch kommen daß vor jhn wenig oder keine
Staffeln zu dem höchsten Ehren-Thron mehr übrig. Sintemal
er nach unterschidenen mit ruhm geführeten Ehren-Aembtern
damals Praefectus Praetorio gewesen. Von welcher hohen
Verwaltung Petrus Faber Semest. l. c. I. II. III. und die
Notitia Imperii Orientis & Occidentis. Unter jhrer Auffsicht
waren die Käyserliche Hof-Läger und milites Praetoriani,
welche man damals auch Corporis custodes ac stipatores genennet / konte also villeicht diser Ehren-Stand mit der Würde
deß Obristen Reichs-Hofemeisters verglichen werden. Ego,
diser Meynung ist Faber, non valde aberraturum credo, si
quis Praefectum, Praepositum aut Comitem Palatii, vel si
Majorem domus, Praefecto Praetorii, protectorumq; Prae-

torianorum comparaverit, qui domesticorum Comes in aula
Constantinopolitana dicebatur.

v. 24. *Bloß auff dein wincken.* Sintemal jhnen das Haubt-
Läger unterworffen / also gibt Burrhus bey dem Tacito, als
jhn Seneca angesehen / und gleichsam gefraget an militi im-
peranda caedes esset, dise Antwort. Praetorianos toti Cae-
sarum domui obstrictos, & memores Germanici nihil ad-
versus progeniem ejus ausuros.

v. 27. *Mit Schwägerschafft.* Antoninus Caracalla Käysers
Severi Sohn und Papinianus haben zwey Schwestern gehey-
rathet / jener Plautillam, diser Plautiam. Nachdem aber
diser beyden Frauen Vater Plautianus auff Antonini geheiß
umbgebracht / hat Käyser Severus Plautillam mit dem Sohne
welchen Antoninus mit jhr gezeuget / in das Elend in Sicilien geschicket / jhr aber dennoch so vil mit gegeben als zu
Nutz und Nahrung von nöthen / besihe Herodianum nahe
dem Ende deß Dritten Buchs. Wie denn Dio in seinem LXXVI.
erwehnet daß Plautianus nicht von Antonini, sondern auff
dessen Befehl von eines Diners Hand nidergestossen.

v. 29. *In dem Er schid.* Disem vornemlich sind beyde
Söhne von dem Käyser anbefohlen. Spartianus.

v. 35. *Vil Nebel hat erweckt.* Besihe die gantze Betrach-
tung Königs Caroli von Groß-Britanien über den Tod deß
Grafen von Staffort / da sehr nachdenckliche Worte zu be-
finden. c. 2.

v. 39. *In Zanck verwirrte Brüder.* Von diser Zwytracht
handeln Dio, Herodianus, Spartianus umbständlich.

v. 45. *Man theilte ja vorhin.* Weil sich beyde Fürsten zu
Rom gar nicht vertragen können / ist man schlüssig worden
beyde durch Theilung deß Reichs von einander zu sondern /
damit einer vor deß andern nachstellen und hinterlist umb
so vil mehr sicher leben könte / derowegen haben sie mit zu-
zihung Väterlicher Freunde in gegenwart der Mutter Juliae
sich so fern verglichen / daß Antonin gantz Europam, Geta
gantz Asiam haben solte / zumal weil durch Göttliche Vorsorge das Vor-Meer oder Propontis, dise Theile der Erden

gleichsam abgräntzete. Antoninus möchte seine Läger bey Bizantz, Geta zu Chalcedon in Bithynien, welche diser Stadt gegen über / auffschlagen / damit auff dise Weise jdweder sein Land behüten / und dem andern das übersetzen verwehren konte. Wer auß den Römischen Rath-Herren in Europa geboren solte zu Rom verbleiben / die andern aber dem Geta folgen. Geta war entschlossen seine Hofhaltung zu Antiochien, oder Alexandrien, welche Städte / damals nicht vil kleiner als Rom / zu stifften. Auß den Sud-Ländern / blib Mauritanien und Numidien, Antonino. Was disen gegen Osten anhängig / ward dem Geta überlassen. Als man hirmit geschäfftig / und die andern alle das Angesicht traurig unter sich auff die Erden schlugen / fänget Julia an: Meine Kinder / wie Erde und See zu theilen / habet jhr nunmehr gefunden / und beyde Fuß-feste Länder scheidet das Pontische Meer / wie werdet jhr aber die Mutter theilen? Wie kan ich unglückselige unter euch beyde getrennet oder zuschnitten werden / tödtet mich derohalben vor allen dingen / und jdweder begrabe meine Helffte bey sich / daß ich zu gleich unter euch mit Erd und See getheilet werde. Als sie dises geredet / fil sie mit vilem heulen und winseln beyden umb den Hals / umbfing / und suchte sie mit einander zu versöhnen. Als hierüber sich ein sonderes mitleiden erhub / ward diser Rath von allen verworffen. Dises ist auß Herodiani IV. Buch etwas weitläufftiger erzehlet / umb daß diser Theilung hin und wieder in den folgenden Abhandelungen erwehnet wird. Daß aber Papinianus allhir vorgibt / man hätte auch wol vorhin getheilet; gehet auff die Zeiten M. Antonini und Veri, welche beyderseits ob wol nicht mit getheileter Gewalt / doch mehrentheils fern von einander geherrschet und Krig geführet.

v. 69. *Ich flihe die gemein.* Was vortreffliche Gemütter offt allerhand Affterrede und Gefahr zu vermeyden / thun müssen / ist jhnen nicht selten übel gedeutet. Von dem berühmeten Weisen schreibet Tacitus: Instituta prioris potentiae commutat, prohibet cultus salutantium, vitat comitan-

tes, rarus per urbem, quasi valitudine insensa aut sapientiae
studiis domi attineretur. Ihm aber wird schuld gegeben /
quod Piso visendo eo prohiberetur. In dem XV. Jahr-Buche
wird Thraseas verläumbdet / quod nuncupationi votorum
non adsit, quamvis quindecimvirali sacerdotio praeditus.
Illum assiduum olim & indesessum, qui vulgaribus quoq;
Patrum consultis semet fautorem aut adversarium ostenderet,
triennio non introiisse Curiam, nuperrimeq; cum ad coercen-
dos Silanum & Veterem certatim concurreretur, privatis po-
tius Clientium negotiis vacavisse.

v. 86. *Der Christen Lehr.* Unter Severo hat sich eine heff-
tige Verfolgung wider die Christen entsponnen / von welcher Tertullian. in Apologet. Spartian. in Severo. Euseb.
lib. VI. Baronius zwar wil Papiniano zumessen / als wenn
er mit dem blutt der Christen sich zeit-wehrenden Sturms
beflecket. Annal. Tom. II. In dem 214. Jahr. §. 3. es mangelt
aber an Beweis. Denn daß etliche Juristen in causis Chri-
stianorum dijudicandis nullam aequi habuerint rationem,
wird gar wol nachgegeben; daß aber Papinianus insonder-
heit unter disen gewesen / wird hirauß noch nicht erzwungen.
Daß Domitius Ulpianus siben Bücher von den Straffen der
Christen geschriben / wie Lactantius lib. V. c. II. erzehlet /
ist seine eigene nicht Papiniani Schuld. Dannenher wir Papinianum also einführen / wie es die Rechte und seine be-
kante Auffrichti[g]keit erfordern. Zu geschweigen / daß der
sonsten über massen belesene Cardinal auß sonderm Eifer
wider die Rechts-Gelehrten vil geschriben / welches sich nicht
auff sie erweisen lassen.

v. 90. *Was jhr Verbrechen sey.* Auß Justini, und Tertuliani
Schutz-Schrifften erscheinet klar / daß die Christen ohne
weitere Erkäntnüß und Verhör / umb deß blossen Namens
willen zu der greulichsten Marter verdammet. Besihe den
bekanten Sende-briff Plinii deß Jüngern. Zuförderst Justi-
num Apolog. II. bald nach dem anfang.

v. 95. *Daß man ein erbar Weib.* Lise Basalium den Bischoff
zu Cappadocia, in seinem Buche von der wahren Jungfrau-

schafft / und der Lateiner und Grichen Märter-Bücher oder Menologia und Martyrologia.

v. 266. *Charibdens Strand.* Sicilien, an welcher Enge das gefährliche Würbel-wasser von den Alten mit disem Namen begabet.

v. 271. *Braut verhüllet.* Die Römischen Bräute worden mit verhülletem Gesichte den Bräutigam zugeführet / wie auß allen Lateinischen Poeten mehr denn bekant. Besihe Brissonium de ritu nuptiarum. Dise Decke deß Gesichtes war gelber Farbe und Flammeum genennet / nach Pomponii Meynung / quod eo perpetuo Flaminica uteretur. Quid si, quod aliquando mihi visum, a colore flammeo?

v. 305. *Mein Vater unterging.* Plautianus von dessen unaußsprechlichem Reichthum / grosser Gewalt / Gunst bey dem Käyser Severo und bluttigem Untergang / Spartianus, Dio Cassius und Herodianus außführlich handeln.

v. 327. *Den Scheitel noch nicht färbet.* Papinianus ist / wie seine Grabschrifft außweiset / umbkommen in dem XXXVI. Jahr und zehenden Tage deß dritten Monats / seines Lebens.

v. 398. *In Kupffer schaut.* Ob jhm gleich keine Bilder von Ertz und Metall auffgerichtet werden / welche offt vor dem Tode deß jenigen / dem sie auffgesetzet / nidergerissen werden. CCCLX. Bilder sind Phalereo Demetrio zu Athen auffgesetzet / welche bald nidergerissen als noch nicht das Jahr die Zahl diser Tage übertroffen. Plinius in dem XXXIV. Buche / in dem VI. Cap. Die Zunfften / (so redet er ferner an angezogenem Orte /) hatten C. Mario Gratidiano Bilder auff allen Gassen gesetzet / welche sie bey dem Einzug Syllae wieder umbgekehret / und denn heist es wie Juvenalis von dem Sejano

– – – – – – ex facie toto orbe secunda
Fiunt urceoli, pelves, sartago, patellae.

Wie Julii deß Andern köstliches Bild von Ertz zuschmoltzen / und ein Stück darauß gegossen / waren noch die darüber sich ergetzeten / vorgebend / es hätte nichts tüchtigers als eine

Carthaun auß dessen Bild gemacht werden können / der
selbst nichts denn Feuer und Tod bey seinem Leben gespeyet.

Über die Andere Abhandelung.

v. 35. *Hat jhr Geburts-Stern.* Severus hat weil er nach dem
Käyserthum gestanden / keine andere heyrathen wollen / als
eine derer Geburts-Stunde anzeigung Königlicher Würden
hätte. Cum amissa uxore, aliam vellet ducere, genituras
Sponsarum requirebat, ipse quoq; Matheseos peritissimus,
& cum audisset, esse in Syria quandam, quae id geniturae
haberet ut Regi jungeretur, eandem uxorem petiit, JULIAM
scilicet, & accepit interventu amicorum.

v. 40. *Als Drusus starb.* Agrippina Neronis Mutter /
Drusi dessen Namen Britannicus, welchen Nero mit Gifft
hingerichtet / Stiffmutter / welche Statsüchtig mehr denn
zu vil.

v. 46. *Dort hat es Agrippin.* Weil sie sich der Regirungs-
sachen zu sehr unterwunden. Tacitus. Adjiciebat crimina
longius repetita, quod consortium imperii, juraturosq; in
foeminae verba Praetorias cohortes, idemq; dedecus Senatus
ac populi speravisset. Annal. XIV.

v. 77. *Ein doppelt Kammer-Bild.* Severus hat das König-
liche Glück / welches mit den Fürsten pflegete geführet und
in jhre Kammer gestellet zu werden / zweyfach zu machen
sich entschlossen / daß er dises heilige Bild jdwederm seiner
Kinder hinterlassen könte. In dem jhm aber die Zeit wegen
annahender Todes-Stunde zu kurtz ward / soll er / wie man
vorgibt / anbefohlen haben / solches einen Tag umb den
andern in eines jden Kammer zu stellen. Quod Bassianus
prius contemsit, quam faceret parricidium, saget Spartianus.

v. 176. *Und Mutter-hold in uns.* Julia hat Caracallam
mehrentheils aufferzogen / dannenher sie seine Mutter nicht
wegen der Geburt / sondern getragener Vorsorge.

v. 177. Severi letzte Worte sind: Ich verlasse meinen Antoninen ein beständig Reich / so fern sie gut / ein schwaches dafern sie böse. Spartian. Massen er auch die herrliche Rede deß Micipsae, mit welcher er seine Söhne zu Einigkeit vermahnet / kurtz vor seinem Tode dem Caracallae zugeschicket.

v. 180. *In Heilger Götter.* Von Erhebung der Römischen Fürsten in die Zahl der Götter / besihe die weitläufftige Beschreibung Herodiani, in dem Anfang seines Vierdten Buchs. Massen auch das Gebäude dessen erwehnet noch auff etlichen alten Müntzen zu schauen.

v. 471. *Jhr blüht ein grösser Glück.* In disen und etlichen andern Vorsagungen wird gezihlet auff die unzüchtige Ehe der Julien mit jhrem Stiff-Sohn dem Caracalla, durch welche sie noch einmal auff den Römischen Thron gerathen.

v. 475. *Wo sie den Schmertz läst blicken.* Caracalla hat alle hingerichtet / die Getae tod betrauret / wie er auch Julien, dafern sie wehklagen würde / gleichfalls zu ermorden gesonnen gewesen. Occidere voluit & matrem Getae novercam suam, quod fratrem lugeret, & mulieres quas post reditum de curia flentes reperit. Spartianus.

Über die Dritte Abhandelung.

Wir führen allhir den Zusehern zu Gemüt / daß schreckliche Laster alsdenn erst recht erwogen werden / wenn sie begangen. A Caesare, (so redet der Welt-weise Geschicht-Schreiber Annal. XIV. von Nerone nach verübetem Mutter-Mord.) perfecto demum scelere magnitudo ejus intellecta est. So weiß man auch von Caracalla daß er disen Todschlag seines Brudern offt beklaget. Mirum sane omnibus videbatur, quod mortem Getae toties ipse etiam fleret, quoties nominis ejus mentio fieret, quoties imago videretur aut Statua.

v. 2. *Den andern Nero.* Weil er / wie Nero, seinen Stiff-Bruder hingerichtet.

v. 81. *Socotriner Safft.* Ist Aloe welches in der Insel Zoco-

tera unter dem XIII. gradu latitud. Boreae sehr köstlich
fällt / und dannenher Aloe Zocotrina genennet wird.

v. 117. *Das Stirnen-Band.* Ist die Binde welche die Fürsten
jener Zeit an statt der Crone getragen. Von derer Farben
außführlich. Casaubon. Exercit. XVI. in Baron.

v. 182. *Daß er selbst herrsch.* Das höchste Lob / das die
Welt-weisen den Fürsten gegeben. Tacitus, Sed neq; Neroni
infra servos ingenium. Annal. XIII. Besihe Boccalinum
durch und durch.

v. 186. *Schon sein bescheiden Theil.* Auß allen / die Bassianus nach deß Brudern Tode hingerichtet; ist Laetus, der
vornehmste Anstiffter dises Bruder-Mords / der Erste gewesen / welchem Bassianus Gifft zugeschicket. Laetum ad
mortem coegit misso a se veneno, ipse enim inter svasores
Getae mortis primus fuerat, qui & primus interemtus est.
Spartianus.

v. 192. *Uns dünckt umb frembde Red.* Bassianus hat dem
ermordeten Bruder ein sehr herrlich Begräbnüß außgefertiget.

v. 200. *Rom soll jhm Tempel geben.* Bekant ist die Stichel-
rede Bassiani auff den todten Getam: Sit Divus, modo non
Vivus.

v. 231. *Bequemer als Sever.* Als welcher in hohem Alter
zu dem Reich kommen.

v. 431. *Kam mit deß Vatern Kind.* Mit seinem Stiff-Bruder
Britannico.

v. 461. *Doch setzt Annaeus auff.* Wo jemals Seneca seinem
Ruhm zu nahe getreten / seiner Weißheit einen Schandfleck
angehangen / und von der Nach-Welt unsterblichen Verweiß
verdinet; so ist es durch dise Entschuldigung (welche er Neroni, den Mutter-Mord zu beschönen / auffgesetzet /) geschehen. Denn / unangesehen Agrippina habe eines und andere
begangen das nicht zu loben; war doch minder zu entschuldigen was ein leiblicher Sohn an seiner Mutter / die jhn zu
dem Throne befördert / verwürcken dörffen. Ergo non jam
Nero, cujus immanitas omnium questus anteibat, sed adverso

rumore Seneca erat, quod oratione tali confessionem scripsis-
set. Tacit. Annal. XIV.

v. 485. *Die Römische Taffeln.* Daß die uhralten Römischen
Gesetze auff zwölff ehrne Taffeln gegraben gewesen / ist nur
mehr denn zu vil bekant. Es waren aber gedachte Gesetze
schon zu der selbigen Zeit / wegen grosser Veränderung der
Lateinischen Sprache so unklar / daß wenig dieselbige sonder
Außlegung verstanden. Was der gelehrete Licetus in seinem
Buch de Lucernis Veterum von zweyerley Arten der Lateinischen Sprachen / deren eine unter vornehmen und wolgezo-
genen / die andere unter gemeinen Leuten üblich gewesen /
vorbringet / und weitläufftig sich zu behaubten bemühet /
wird er keinen der Lateinischen Sprache recht erfahrnen bereden / sintemal mehr denn bewust / daß auch die heiligsten
Lider / Weissagungen / Verschwerungen und derogleichen /
welche man nicht gerne vor deß unheiligen Pövels Ohren
kommen ließ / in derselbigen uhralten Red-Art / die er vor
die gemeine außgeben wil / abgefasset. Was er von Nicolao
Laurentio oder Cola Rentzo vorbringet / erwegen wir in
einem andern Ort.

v. 489. *Das einen heist.* Wir behaubten allhier nicht daß
die Monarchi / juris gentium, über welcher Meynung die
Politici nicht einig / sondern zilen nur dahin / daß wo die
Monarchi eingeführet / mehrentheils bey allen Völckern
einer / und nicht zwey geherrschet.

v. 493. *Caesars letztes Blutt.* Claudius welcher der letzte
so auß seinen Nachkommen geherrschet / weil dessen leiblicher Sohn / den Tacitus, supremum Claudiorum sangvinem
nennet nie den Thron bestigen. Diser / damit er Agrippinam
Neronis Mutter heyrathen möchte / decretum postulavit,
quo justae inter patruos fratrumq; filias etiam in posterum
statuerentur nuptiae. Tacit. Annal. XII. Sie lohnete jhm
aber mit Gifft / welches jhn auß dem Ehe-Bette und Thron
stürtzete / delectabili boletorum cibo.

v. 510. *Pflag man je solchen Dinst.* Spartianus vermey-
net / deß Todes Papiniani Haubt-ursache sey nicht / daß er

sich verwidert die Entschuldigung dises Todschlags auffzusetzen; sondern die Freundschafft die er zu dem Geta getragen / hätte sein Ende befördert. Neq; Praefectus poterat
dictare orationem. Gleichwol sehe ich nicht warumb bloß
auß disem Grunde von der gemeinen Meynung zu weichen.
Wer sich erinnert / wie hoch damals Papinianus gehalten /
wird vilmehr vermutten / daß von jhm als dem vortreff-
lichsten Rechts-Gelehrten / und der bey allen in grossem
Ansehen / dise Schutz-Rede gefordert / utpote cujus magnum
nomen obumbrat.

v. 551. *Komm Löwin.* Laetus wirfft der Julien in disem
und folgenden 580. v. jhre Grausamkeit und zugleich jhr
unansehliches Vaterland vor. Sie war auß Syrien / welches
Land vil Löwen nähret / wie auch die Schrifft selbst zeuget.
Besihe Ambrosin. in Continuat. Aldrovandi. Und Ionston.
Histor. animal. quadruped. So waren / was das andere anlanget / die Syrer / als zu steter Dinstbarkeit geneigte Gemütter / von den Römern sehr verachtet / massen sie denn
jhren Leib-eigenen offt den Namen Syrus und Syra gegeben.

v. 581. *Sind Creutzer zu geringe.* Mit andern Straffen
wurden zu Rom die Frey-gebornen / mit andern die Leib-
eigenen beleget / dannenher offt in den Geschicht-Büchern
poenarum servilium erwehnet wird. Unter solchen Straffen
war zu Rom das Creutz die gemeineste / nicht aber in Syrien
und bey den Juden / als welche wie Casaubon herrlich er-
wiesen in Exercit. contra Baron. bey jhnen gar nicht bräuchlich. Was man von jhrem auffhencken vorbringet / dinet hir-
zu gantz nicht / denn sie niemand an dem Holtz sondern
auff der Erden erwürget. Sie stecketen den schuldigen Misse-
thäter biß zu den Knien in den Mist / und wickelten ein
hartes Schnuptuch in ein linderes / legeten dasselbige umb
seinen Hals / man zog aber daran von beyden Seiten / biß
jhm die Seele außgegangen war[1]. Mass. Sanhed. c. 17. Die

---

1. Dieser Satz ist die Übersetzung der hebräischen Quelle, die Gryphius
im Original zitiert. Auf die Wiedergabe des hebräischen Textes wurde
verzichtet.

nun auff dise Art erwürget / wurden nachmals an den Pfahl gebunden / darvon zu anderer Zeit wir mehr außführlich zu reden gesonnen.

v. 642. *Mit Hacken.* Die Erwürgeten wurden zu Rom mit Hacken durch die Gassen gezogen / und in die Tyber oder bey die Gemonische Staffeln geschmissen.

v. 704. *Wo Minos Urtel spricht.* Dantes in seinem XII. Gedichte der Höllen / stellet die Gewaltthäter und Tyrannen in eine bluttig-sidende See.

> Ficca gli occhi a valle: che s'approcia
> La rivera del sangve in la qual bolle
> Qual che per violenza in altrui noccia.

Und etwas ferner:

> Noi ci movemmo con la scorta fida
> Longa la proda del bollor vermiglio
> Ove i bolliti facen alte strida.

Beyde Ort haben wir folgends nur überhin versetzet.

> Schlag dein Gesicht auff dises tiffe Thal
> Es rauscht daher / der Blutt-Fluß darinn kocht
> Der mit Gewalt geschadet und gepocht /
> Und nun die Straff erträgt in diser Qual.

Und folgends:

> Wir gingen mit dem treuen Leiter fort
> Längst hin den Strand der Blutt-gefärbten Bach
> In welcher groß Geheule nach und nach
> Außgossen die gesotten umb den Mord.

Über die Vierdte Abhandelung.

v. 41. *Paetus wird gelibt.* Thraseae wird vorgeworffen / daß er seinen Ruhm durch Neronis Verkleinerung suche. Besihe wormit jhn Capito beschuldiget bey dem grossen Geschicht-Schreiber. Annal. XVI.

v. 60. *Ja wenn Plautilla nicht.* Als Papiniani Frauen Schwester.

v. 155. *Der Syrer Abkunfft.* Getae, der Syrischen Julien
Kinde.

v. 177. *So beut der Schwager.* Papinianus Bassiani Schwager.

v. 205. *Schaut wie das freche Glück.* Übermassen artig
sind die Worte welche Petrus Aretinus in den Mund seines
Hippocrito, (Atto secundo Scena terza) leget. Non è dubbio,
che il cortigiano favorito dal suo Principe, non sia una
signoria. Tamen lo incampiar in un filo di paglia lo fa
morire sopra un fascio di fieno. Es ist kein Zweiffel daß es
umb einen Hofmann / welchem sein Fürst sehr gewogen /
nicht eine grosse Herrli[ch]keit sey: aber das anstossen an
die geringste Spreuer-Spitze / machet daß er auff einem
Hew-gebündlein sterben muß. Noch artiger was Scribanus
(in Politic. Christ. cap. XII. lib. I.) setzet. O aulas sphaeri-
steria! & o! quotquot in illis regiae pilae. An selbigem Ort
erwehnet er gleichfalls deß Hertzogs von Ancrè, welcher an
dem Frantzösischen Hofe jämmerlich umbkommen / bringet
etliche Stücke auß der auff jhn gemachten Grab-Schrifft vor /
und beklaget hoch daß sie nicht gantz in seine Hände gerathen / weil denn selbige mir unverhofft auff meinen Reisen
zukommen / wil ich sie (weil es nicht eine wie Scribanus ver-
meynet / sondern deren etliche) gantz hiher setzen / umb so
vil mehr weil er so hoch verlangen darnach getragen. O quis
invidit mihi & Orbi corporis medium! und o multa ab hac
manu nulli veterum cessura. Auch vil die die wenigen Zei-
len / & defrustati corporis frusta wie er redet / bey jhm
gelesen / selbige unzubrochen zu lesen begehret:

Eheu! rerum vices,

Gallicum Sejanum

Regno propinquum, Regi proximum

Poenitens aut fatigata

Fortuna destinuit.

Principum Invidiae, victima mactatur

Ut sacer Homo saginatus publico

Galliam expiet.

Ferrum expertus, male qui cupivit aurum

Regnum qui VIVUS in partos secuit
MORTUUS secatur in frusta.
Aequius an Immanius?
Diris, sibilis, inclamationibus plebs surens
Justa fecit
Tracto, discerpto, nullibi aut ubiq; sepulto.
Eheu! quam dissimili
Exitu clauditur Aulicorum fabula!
O rerum vices! o fata!

* * * * * * * * * *

Concini Manibus.
Heu lubricum Aulae Culmen
Hominem fortuna temere extulit
Haud temere perdidit.
Opes nimis amplae, animo nimis angusto
Rerum potitus, sui impotens,
Cunctis major, sua tantum minos
Magnitudine.
Felicitatem dominandi non diu tennit
Quod felicitate serviliter teneretur.
Principum Amore, civium odia meritus,
Vices non metuens, Regi metuendus.
Cum viveret universis nimium notus
Moritur ignotus SIBI.
Viri Sepulcrum Viator non quere!
Necato, in partes disfecto,
Sepulcrum non deerat, si quod sepeliretur
non defuisset.

* * * * * * * * * *

In Obitum Concini.
Eheu!
Suorum tandem
Sive bene, sive male factorum
Paenitens Fortuna
Praerupte haec alta

Mox per inconstantiam labitur,
Molita exitium Concino
Crudelis in morte, quae liberalis in vita.
Auro quem operuerat
Humo negavit contegere.
Haec membra Viator
Fas insepulta spectare.
Trucidato vasta macellum civitas facta,
Cruorem reperies
Ossa si quaeros.
Siste,
Ac necis misertus tam dirae,
Lacrimans discede.

Wer aber mag sie auffgesetzet haben? Ein vortrefflicher und
so durch allerhand Wissenschafften / als ruhm-würdigst und
lange Zeit geführete Waffen hochberühmter Chevallier hat
mir entdecket / daß dise Schrifften auß Maphaei Barberini
Feder geflossen / welcher nachmals mit der dreyfachen Krone
den Namen URBANI deß Achten angenommen. Massen mir
auch die Ursache so jhn dise vortreffliche und wichtige Wort
hervor zu geben bewogen / nicht verborgen.

v. 221. *Das höchst ergetzte Volck.* Papiniani Sohn hatte
das Rentmeister-Ambt in Rom erhalten / und üblichem
Brauch nach kaum drey Tage vor seinem Tode dem Volck
offentliche Lust und Freuden-Spile angestellet. Ante triduum
quaestor opulentum munus ediderat. Spartianus.

v. 293. *Durchlauchtigster ich komm.* Wer disen Auffzug
recht verstehen wil / muß die Notitiam Imperii Oriëntis &
Occidentis vor sich nehmen / und in selbter auffsuchen was
von den Praefectis Praetorii und jhren Ehren-Zeichen angedeutet wird. Ich wil nur mit wenig Worten andeuten / daß
sie Illustres oder Durchlauchte genennet / daß das vornehmste
Zeichen jhrer Würde der Dolch / welchen sie stets offentlich
getragen / anzudeuten / daß jhnen Gewalt über Tod und
Leben ertheilet / jhnen ward der Elfenbeinerne Stul auff
Rädern / Curulis eburnea erlaubet / wie sie denn auch eigent-

lich sich eines vergoldeten Wagens gebrauchet / da andern
Beambteten nur versilberte vergönnet. Sie führeten mit sich
die Bilder der Fürsten / unter welchen die Felicitas Imperii
mit einem Horn deß Überflusses gestellet ward. Jhr Gemach
ward gezihret mit einem Tische oder Altar von Ertzt / welcher bedecket mit einem weissen Tuch / dessen Säume von
Gold gewürcket / auff selbigem stund das Buch jhrer Ambts-
Verrichtungen gezeichnet mit deß Fürsten Bilde / neben dem
Buch vier brennende Lichter / auff so vil göldenen Leuchtern.
Wer dises beobachten wird / kan / was allhir etwa dunckel
vorkommen möchte / leicht verstehen. Gesetzt auch daß zu
Bassiani Zeiten nicht alle dise Zirathen bräuchlich gewesen /
(weil man der meisten gewiß) stehet doch der Dicht-Kunst
an sich jhrer Freyheiten zu gebrauchen.

v. 375. *Durchlauchtigster das Heer.* Wie übel das Heer
mit Getae Todschlag zufriden gewesen / führet Spartianus
weitläufftig auß / den sihe.

v. 493. *Schaw wie mein Kind.* Dio in Caracall. erzehlet /
daß er der Antoninus offt durch grausame Gespenster erschrecket / in dem jhm der Vater und Bruder mit entblösse-
ten Schwerdtern erschinen. Und in dem LXXVIII. Buch /
erwehnet er / daß als Antoninus von Antiochien außgezo-
gen / der Vater jhm in dem Schlaf mit dem Schwerdt vorkommen / und dise Wort gesprochen: Wie du deinen Bruder
umbgebracht / also wil ich dich auch umbbringen.

Über die Fünffte Abhandelung.

v. 338. *Wer noch Leib-eigen dint.* Die Römer gaben zu wei-
len bey jhrem Abschid entweder in dem letzten Willen / oder
auch ausser demselbigen / die Freyheit / dises letztere ge-
schahe / wie bey Lebe-Zeiten auff unterschidene Weise / wie
die Rechts-Gelehrten weitläufftig außführen. Unter andern
pflegete der Herr den Leib-eigenen umbzuwenden / und
gleichsam durch dises Zeichen dar zu thun / daß er jhn auß

der Leib-eigenschafft in die Freyheit versetzete. Persius
Satyr. 5.

> – – – – Heu steriles veri quibus una Quiritem
> Vertigo facit, hic Dama est, non tressis, agaso,
> Vappa, lippus, & in tenui farragine mendax,
> Verterit hunc Dominus: momento turbinis exit
> Marcus Dama, &c.

v. 356. *Du hättest unser Wort.* Dio erzehlet Bassianus
habe den Soldaten / der Papinianum hingerichtet / hart ge-
scholten / ὅτι ἀξίνῃ αὐτὸν, καὶ οὐ ξίφει διεχρήσατο daß er
jhn mit dem Beil / nicht mit dem Schwerdt gerichtet. Spartianus erzehlet deß Käysers eigene Worte / Gladio te exequi
oportuit meum jussum, du hättest mit dem Schwerdt meinen
Befehl vollzihen sollen. In Antonin. Deßgleichen setzet er in
Geta, Papinianus ward mit dem Beil gerichtet / welches
Antoninus nicht billigte / umb daß es nicht mit dem Schwerdt
geschehen. In gemein ist zu wissen / daß die Enthaubtung
durch das Schwerdt ehrlicher gewesen / denn dise die durch
das Beil geschehen / welche Art deß Todes zu vollzihen
etliche mit fleiß gelernet. Bey dem Lucano VIII.

> Nondum artis erat caput ense rotare.

Bey dem Svetonio (Caligul. c. XXXII.) kommet vor / Miles
decollandi artifex, sehr frembd ist was auß Euphorione Chal-
cidensi bey dem Athenaeo erzehlet wird. Εὐφορίων δὲ ὁ
χαλκιδικὸς ἐν ἱστορικοῖς ὑπομνήμασιν οὕτω γράφει, παρὰ
δὲ τοῖς ῥωμαίοις προτίθεσθαι πέντε μνᾶς τοῖς ὑπομένειν
βουλομένοις τὸν κεφαλὸν ἀποκοπῆναι πελέκει, ὥστε τοὺς
κληρονόμους κομίσασθαι τὸ ἆθλον, καὶ πολλάκις ἀπογρα-
φομένους πλείους δικαιολογεῖσθαι καθ' ὃ δικαιότατός ἐστιν
ἕκαστος αὐτὸς ἀποτυμπανισθῆναι. Euphorion von Chalcis
schreibet in seinen Geschicht-Büchern / daß bey den Römern
den jenigen die jhnen das Haubt mit dem Beil wolten ab-
schlagen lassen / mit disem bedinge / daß der Lohn an jhre
Erben käme / fünff (a.) Minae versprochen würden. Daß
auch offt etliche / auffgezeichnetes Nahmens bey den Richtern sich in Rechts-Streit einlissen / in dem jdweder sich zu

erweisen bemühete / daß jhm am billichsten also das Haubt abzuschlagen. Deipnosoph. lib. IV. Diser thörichten Grausamkeit findet man sonst keinen Fußstapffen in den Römischen Schreibern. Was sonsten die Enthaubtung belanget / ist zu wissen / daß heutiges Tages das Fall-Beil zu Rom wieder bräuchlich / wie in Franckreich und Engelland das Hand-Beil. Daß aber der Schreiber Sesquiseculi Anglicani (b.) Jovium Lügen strafft / umb daß er in seinen Geschicht-Büchern erzehlet / Anna Bolena hätte jhren Schnee-weissen Nacken dem Schwerdt deß Henckers darbitten müssen; sintemal man in Engelland kein Schwerdt gebrauchete / ist ein sehr grober Irrthum und unzeitiger Eifer / einem andern einen Unverstand vorzurucken / in welchem man selber schwebet: In dem unstritig daß Bolena mit dem Schwerdt gerichtet / und der Scharffrichter der diser Kunst gewiß gewesen / von Cales nach Londen gefordert / wie die Engelländischen Geschicht-Schreiber melden. In Spanien wird an den Missethätern der Hals an stat deß Schwerds mit einem Messer entzwey geschnitten.

(a.) Eine Mina Attica wird in gemein geschätzet auff XII$^{1}/_{2}$. Thaler / wäre also LXX$^{1}/_{2}$. Thaler.

(b.) Lib. XXXV. lacteam cervicem quae tantopere Regi placuerat carnifici latum stringenti gladium porrexit.

v. 391. *Kommt außerkorne Frauen.* Das vornehmste Frauenzimmer begleitete die Ehe-Frauen und Verwandten / welche vor jhre Ehe-Männer / Eltern oder Kinder dem Fürsten oder dem gantzen Rath einen Fußfall zu thun willens / massen auß unterschidenen Geschicht-Schreibern zu sehen.

v. 423. *Schlag Plautie die Brüste.* Nach Art der Römer und Grichen / welche Brüste und Arme / wie auch das Haubt in höchstem trauren schlugen / welches der eigentliche Planctus. Senec. Troad.

$$- - - - - - - \text{ jam nuda vocant}$$
Pectora dextras, nunc nunc vires
Exprome dolor.

Und bald

Tibi nostra ferit dextra lacertos,
Humerosq; ferit tibi sangvineos
Tibi nostra caput dextera pulsat
Tibi maternis ubera palmis
Laniata jacent. &c. &c.

v. 476. *Dich Lorber-Baum zu schlagen.* Man glaubet daß
die Lorber-Bäume von keinem Ungewitter getroffen werden.
Besihe Plinium XV. 30. H. N. Solte es ja etwa geschehen /
so wil es vor eine Vorbedeutung grossen Unglücks gehalten
werden. Ein sonderbares und denckwürdiges Beyspiel erzehlet Rousset in seinem Schaw-Platz trauriger Geschichte.
Mir ist leid / daß in Mangel deß Frantzösischen Buches / ich
Herren Zeilers (Hist. 19. pag. 689.) Dollmetschung allein hie-
her setzen muß. Ehe man sich (so schreibet er) zur Taffel
setzte / haben sich wunderliche und seltsame Sachen / als
Vorläuffer deß Zorns Gottes / denen diser armselige Mensch
hätte vorkommen sollen / zugetragen. Das Wetter war still /
und der Himmel klar und heiter / als sich jähling ein ge-
waltig Ungestüm mit Hagel und Regen vermischt / erhebte /
und vil / wegen diser neuen und unverhofften Veränderung /
erschreckte. Im Eingang deß Hofs deß Canope Pallast / war
ein grosser Lorber-Baum / welchen das Wetter mit der
Wurtzel außriß / und zu Boden warff. Daß denn ein wun-
derlichs Wesen war / weiln man darvor hält / daß kein
Lorber-Baum jemals sey vom Wetter getroffen worden. Aber
solches ist ein Vorbedeutung gewesen / daß dessen klägliches
Ende nunmehr nahend sey / der als ein Lorber-Baum allem
Ungewitter deß Himmels zu entgehen scheinte / nunmehr
solte außgerottet werden.

Und so vil vor dises mal. Warumb aber so vil? Gelehreten
wird dises umbsonst geschriben / Ungelehreten ist es noch zu
wenig. Diß einige wil ich noch erinnern / das zu besserer
Bestellung deß Schaw-Platzes in acht zu nehmen.

Daß in der I. Abhandelung durch und durch die Auffzüge
oder Scenae in Papiniani Gemach vorgehen / der Reyen aber
in dessen Vorhof oder Lust-Garten vorgestellet werde.

In der II. Abhandelung gehet alles vor in dem Käyserlichen Saal.

Die III. Abhandelung wird vorgenommen / was den 1.
und 2. Auffzug anlanget / in dem Käyserlichen geheimen
Gemach. Was den 3. 4. 5. betrifft / in Laetus Zimmer. Was
den 6. in Papiniani Lust-Garten. Was den 7. in der Käyserin
Juliae Gemach. Der Reyen wird vorgestellet in Juliae Gemach.

Der IV. Abhandelung 1. 2. 3. Auffzug erfordert das Käyserliche geheime Zimmer. Der 4. 5. 6. Papiniani Gemach. Die
Reyen erscheinen in dem Käyserlichen geheimen Zimmer.

Die V. Abhandelung gehet vor in dem 1. und 2. Auffzug in
Papiniani Zimmer. In dem 3. auff dem Käyserlichen Saal.
In dem 4. in Papiniani Zimmer.

Bleib Gott befohlen Hochgeehrter Leser / mir gewogen /
und erwarte ehestes / wo Gott wil / HENRICUM
den Fromen / oder Schlacht der Christen und
Tartarn vor Lignitz.

ZUR TEXTGESTALT

Der Text der vorliegenden Ausgabe beruht auf dem Erst-
druck des Dramas aus dem Jahre 1659:

ANDREAE GRYPHII / Großmüttiger / Rechts-Gelehrter / Oder / Sterbender / AEMILIUS PAULUS / PAPI-
NIANUS. / Trauer-Spil. / Breßlaw / Gedruckt durch Gottfried Gründern / Baumannischen Factor. [o. J.]

(Exemplar der Württembergischen Landesbibliothek Stuttgart, Sign. R 17 Gry 1 – 2,1)

Dem Haupttitel des Dramas (Bl. 2) geht ein ganzseitiges
Kupfer (Hinrichtung des Papinian) mit der Überschrift „A.
GRYPHII PAPINIANUS." voraus. Auf der Rückseite des
Haupttitels folgen die Leitsprüche aus Horaz und Tacitus,
Bl. 3 Vs. bis Bl. 5 Rs. die lateinische Dedikation, Bl. 6 Vs. bis
Bl. 7 Vs. die kurze Inhaltsangabe, Bl. 7 Rs. das Personen-
verzeichnis. Anschließend folgen sieben ganzseitige Kupfer-
stiche, darstellend die Porträts des Papinian, der Plautia, der
Urne des Papinian, des Septimus Severus, der Julia, des
Anton. Caracalla und des Geta. – Nach diesen Vorsätzen
beginnt der Text des Dramas, die Seiten sind nicht gezählt.
Die Originalanmerkungen des Dichters auf 19 nicht nume-
rierten Seiten und eine Druckfehlerliste beschließen den
Band. Auf die Wiedergabe des Titelkupfers, der lateinischen
Widmung, der sieben Porträtkupfer sowie des Druckfehler-
verzeichnisses wurde verzichtet, jedoch wurden die aufge-
führten Errata im Text stillschweigend korrigiert.

Darüber hinaus wurden einige offensichtliche Versehen
gebessert: I 228 uicht > nicht, III 26 gewungen > gezwungen, III 154 (sprach sie trew /) > (sprach sie) trew /, III
466 Lob-veralten > Lob veralten, IV 52 verrichten >
vernichten, IV 404 hilt und > hilt nun, V 28 sichereu >
sicheren. In zwei Fällen wurde Gotter > Götter korrigiert,

die offenbar falsche Stellenangabe des Horaz-Mottos Lib.
III Od. V > Lib. III Od. III geändert.

Da im Original für I und J ununterschieden nur eine Frak-
turtype gebraucht ist, wurde bei der Transponierung in Antiqua I und J jeweils entsprechend dem im Original bei der
Kleinschreibung üblichen Buchstaben gewählt. Die zwischen
I und J wechselnde Schreibung von Julia wurde zu J ver-
einheitlicht.

Folgende Abbreviaturen wurden aufgelöst: m̄ > mm, n̄ >
nn, ẽ > en; anstelle des häufig auftretenden Buchstabens ꝛ
wurde r gesetzt und für die zeitgenössische Fraktur-Schrift-
type Antiqua gewählt. Den in der Frakturschrift durch Über-
schreibung eines ‚e‘ gekennzeichneten Umlaut (å ô ů) gibt unser Text als ä ö ü wieder.

Auf Unterschiede in der Schrifttype im Originaltext, z. B.
bei Eigennamen, bei lateinischem und italienischem Text, und
auf Initialauszeichnung wurde verzichtet. Die Zeilenanord-
nung des Erstdrucks in Überschriften, szenischen Angaben,
Inhaltsangabe und Anmerkungen wurde nicht beibehalten.
Ergänzungen des Editors sind in eckige Klammern gesetzt.

Die Interpunktion des Originals wurde in allen Fällen beibehalten, selbst auf die Gefahr hin, daß an einigen Stellen
möglicherweise fehlerhafte Interpunktion konserviert wurde.
Jedoch erschien ein Eingriff in die Zeichenstruktur des Textes
nach heutigen Gesichtspunkten nicht ratsam, da auf diese
Weise die philologisch getreue Wiedergabe gefährdet würde.
Lediglich einige Punkte am Satz- und Versende wurden ergänzt, wenn das Ende des Satzgefüges klar ersichtlich war.
Der folgende Satz aus Gryphius' Druckfehlerverzeichnis soll
dem Leser und Benutzer einen Hinweis auf fehlerhaft inter-
punktierte Stellen geben: „Was in den Puncten und Com-
matibus versehen / wird jdweder vor sich selbst zu verbes-
sern wissen."

Die Anmerkungen im Text beruhen auf der Ausgabe von
Willi Flemming in der Reihe „Deutsche Literatur in Entwicklungsreihen", Barockdrama Bd 1, wurden jedoch teil-

weise erweitert. Die sprachlichen Erläuterungen in den Fußnoten beziehen sich auf das „Deutsche Wörterbuch" von Jacob und Wilhelm Grimm, Leipzig 1854 ff. Auf historische Erläuterungen wurde im Hinblick auf Gryphius' eigene Anmerkungen zum Text verzichtet.

Ilse-Marie Barth

BIBLIOGRAPHISCHE HINWEISE

Andreas Gryphius: *Trauerspiele I*, hg. von Hugh Powell, Tübingen 1964.

Das schlesische Kunstdrama, hg. und mit einer Einführung versehen von Willi Flemming (Deutsche Literatur in Entwicklungsreihen, Reihe Barock, Bd 1), Leipzig 1930.

Walter Benjamin: *Ursprung des deutschen Trauerspiels*, hg. von Rolf Tiedemann, Frankfurt a. M. 1963.

Willi Flemming: *Andreas Gryphius. Eine Monographie*, Stuttgart 1965.

Erika Geisenhof: *Die Darstellung der Leidenschaften in den Trauerspielen des Andreas Gryphius*, mschr. Diss. Heidelberg 1958.

Herbert Heckmann: *Elemente des barocken Trauerspiels. Am Beispiel des „Papinian" von Andreas Gryphius* (Literatur als Kunst, hg. von Kurt May und Walter Höllerer), München 1959.

Hans-Jürgen Schings: *Patristische und stoische Tradition bei Andreas Gryphius*, Köln 1966.

Marian Szyrocki: *Andreas Gryphius. Sein Leben und Werk*, Tübingen 1964.

Albrecht Schöne: *Säkularisation als sprachbildende Kraft*, Palaestra, Bd 226, 1958, bes. S. 29–75.

Albrecht Schöne: *Emblematik und Drama im Zeitalter des Barock*, München 1964.

NACHWORT

Nur der angestrengten Mühe erschließt sich das barocke Trauerspiel des Gryphius. Schon Johann Elias Schlegel hatte, als er 1741 *Shakespear und Andreas Gryph* verglich, den Deutschen zwar als einen großen Dichter gerühmt, gleichwohl seine „rauhe Schreibart", seine Wortverbindungen und die gelegentlich künstlichen Affekte getadelt. Der vergrößerte geschichtliche Abstand unserer Gegenwart hat die bis in den Bedeutungswandel der Worte reichende Fremdheit noch verstärkt. Daher bedarf es heutzutage des historisch gebildeten Kunstverstands, um das barocke Drama aus seinen eigentümlichen Voraussetzungen zu verstehen, denen die Maßstäbe der aristotelischen Poetik selten gerecht werden. So ist Papinian von der ersten Szene an als Inkarnation des Tugendideals fixiert. Da er keiner Entwicklung bedarf, läuft die Bühnenhandlung ohne eigene Valenz fast schematisch ab, ohne Umbruch zielgerichtet vornehmlich dazu bestimmt, in verschiedenen Gestalten und Weisen die Anfechtungen darzustellen, die der Tugend des Protagonisten ihre Bewährung ermöglichen und seine innere Vollkommenheit in darstellbaren Vorgang umbilden. Das Schema von Schuld und Sühne braucht keinen Augenblick bemüht zu werden, da sich der Titelheld als typenhaft geschlossener, ‚fester‘ Charakter auszeichnet, dem das Merkmal anderer Dramenfiguren: die in sich selbst widersprüchliche und schwer ergründbare Differenz von Wesen und Tun, unbekannt bleibt. Vornehmen Geblüts, wie dies die barocke Ständeklausel vorschreibt, psychologisch undifferenziert und weltüberlegen in seiner dauerhaften Gesinnung, entzieht sich Papinian der Einfühlung des Zuschauers, zumal dieser die stilisierte Distanz der reinen und wortmächtigen Existenz nicht überspringen kann. Die anderen personae dramatis sind der Hauptfigur antithetisch oder fast symmetrisch zugeordnet; in der Staatsaktion des beinahe verselbständigten 2. und 3. Aktes agieren sie im Furor ihrer Leidenschaften, die der durchsichtigen situations- und standesbezogenen Affektenlehre des Barock entsprechen. Vom Wortgepränge überlagert, das sich in Vergleichen und Metaphern, in Sentenzen und Hyperbeln ergeht, spiegelt der lineare Bühnenvorgang die übersteigerte, dualistisch geschiedene Wirklichkeit ab. Die pathetische Aussage ist dem Tun vorgeordnet, dessen eigentlichen Ausdruck die um ihrer selbst willen hochgetriebenen Leidenschaften bilden.

Der *Papinian,* 1659 geschrieben, ist Gryphs letztes dramatisches Werk. Im schlesischen Glogau am 2. Oktober 1616 geboren, hatte er früh die Eltern verloren, die Not der konfessionellen Spaltung kennengelernt und die Leiden des Dreißigjährigen Krieges als lebensbestimmende Eindrücke erfahren. Entscheidende Bildungsjahre (1637–43) konnte er im holländischen Leyden, der, wie Dilthey schrieb, „ersten Universität im modernen Verstande", verbringen, wo er mit der gelehrten Welt und der holländischen Dramatik bekannt wurde und den Grund legte für seine eigene polyhistorische Bildung. Bei einer Reise nach Paris sah er Aufführungen von Dramen Corneilles, in Rom der Commedia dell'arte. Um beim Aufbau der zerstörten Heimat mitzuhelfen, kehrte er 1650 als Syndikus in das an die Habsburger gefallene Glogau zurück, wo er, der größte deutsche Dichter des Barock, am 16. Juli 1664 während einer Sitzung der Landstände vom Tode überrascht wurde.

Gryphius entnahm den Stoff zu seinem Trauerspiel nicht hagiographischen, sondern profanen Geschichtsquellen: dem Herodian vor allem, Dio Cassius und Spartianus. Den historischen Hintergrund bildet die Zeit Caracallas (211–217), der seinen Bruder und Mitregenten Geta ermordete, um sich in den Besitz der Alleinherrschaft zu bringen, und im Zuge seiner ‚Säuberungsaktion' auch den Rechtsgelehrten Papinian in seinem sechsunddreißigsten Lebensjahr, am 25. Februar 212, umbringen ließ. Die „Kurtzen Anmerckungen", die

Gryphius seinem Drama nachstellte, zeigen neben seiner
weiten Belesenheit, wie peinlich genau er die faktischen De-
tails seines Dramas, die zugleich die Elemente der dargestellten Handlung ergeben und wie Requisiten eingefügt sind,
quellenmäßig zu belegen bemüht ist. Diese Faktentreue, die
jeder anachronistischen Verfehlung entgehen will, meint aber
nicht die voraussetzungslose Gewissenhaftigkeit des Histori-
kers gegenüber dem Gegenstand. Die Auswahlprinzipien des
Dramatikers erstreben weder Vollständigkeit noch bloße
Reproduktion des Vergangenen, zumal das Barock, von den
späteren historischen Epochen aus beurteilt, fast ahistorisch
denkt und den geschichtlich gebundenen, übergangshaften
Augenblick früherer Geschehnisse wenig berücksichtigt. Die
Geschichte liefert vielmehr die „denckwürdigen" Begeben-
heiten, die modellhaften Exempla, deren der Dichter zu seiner Darstellung des theatrum mundi bedarf. Er orientiert sich
also an funktionalisierten geschichtlichen Vorgängen, und wie
sehr auch die mimetische Wiedergabe (z. B. der Traumerschei-
nungen, von denen Dio Cassius, oder des Intrigenspiels des
Laetus, wovon Spartianus berichtet) erstrebt ist, so ist doch
der fiktionale Charakter auch des barocken Dramas gewährleistet: Der Dichter bedient sich nicht nur der Freiheit gegenüber dem Stoff – er „lest viel außen was sich nicht hin schik-
ken wil" (gesteht ihm Opitzens *Poeterey* zu, und Gryphius
schließt in der Anmerkung zur vierten Abhandlung Vers 293
bewußt daran an) –, er behandelt die Vorlage selbstverständlich auch unter dramaturgischen, der Konzentration ver-
pflichteten Gesichtspunkten. Der dichterische Prozeß des
Gryphius führt also über eine bloße ‚dramatisierte Historie'
hinaus; in ihm durchdringen sich historische Fakten und dichterische Imagination, so daß Stoff und Geistesart eine Einheit finden, die auf innere Evidenz nicht weniger als auf die
Beglaubigung durch das durchgängige Faktische angewiesen
ist. Der Doppeltitel dieses Dramas mit seiner Betonung der
„Großmüthigkeit" Papinians läßt überdies erkennen, daß,
wie konsistent auch immer die historischen Realien ergriffen

sind, eine Bedeutsamkeit intendiert ist, die das Faktische als Repräsentation eines übergeschichtlichen Sinns hinnimmt. Die Gestalt des Stoikers Papinian vor allem lebt aus dem Geist des Dichters – sie ist *seine* Schöpfung, doch darf aus diesem Verhältnis nicht die leidige Gleichsetzung von Dichter und dramatischer Aussage gefolgert werden, die dazu verführte, für Gryphs letzte Lebensjahre eine dezidierte Neigung zum Stoizismus zu konstatieren.

Wie fern Gryphius der Dramentheorie des nachfolgenden Jahrhunderts steht, erweist schon der „Kurtze Begriff der Abhandlungen": Papinian führt sich in einem langen Eingangsmonolog selbst ein, tritt aber im zweiten Akt gänzlich, im dritten bis auf eine einzelne Szene (III 415 ff.) in den Hintergrund. Die für die dramatische Gattung entscheidende Einheit der Handlung scheint dadurch gefährdet, während die dargestellte Zeit nach der Empfehlung Corneilles auf einen einzigen Tag – den des „sterbenden" Papinian – verkürzt ist und die Schauplätze bedeutsam auf das „Königshaus und Papinians Wohnung" verteilt und damit einander entgegengesetzt sind. Die Staatsaktion des 2. und 3. Akts wirkt selbstverständlich auf das Märtyrerspiel um Papinian ein, aber die fast autonomen Szenen zwischen der Kaiserinmutter und dem Intriganten Laetus lassen erkennen, daß Gryphius weder die einzelne Szene final versteht noch die Sukzession der Szenen (trotz gelegentlicher Kontrastierung) und der lose abgesetzten Akte (2+3, 4+5) nach strengen funktionalen Bezügen ordnet. Die beiden Handlungsträger sind also nicht im Ganzen des Dramas voll integriert wie beispielsweise in der tektonisch gebauten Tragikomödie, wo die Teile einander bedingen, spiegeln, kontrastieren und deuten. Gespanntheit, Spannung zu erreichen, ist, wie diese Hinweise verdeutlichen, nicht das vordringliche Geschäft des Dramatikers, sonst hätte Papinian nicht eingangs schon mit der Charakteristik seiner Haltung sein späteres Geschick klar antizipiert und sich um die Möglichkeit gebracht, seine „Großmüthigkeit" im Angesicht der Versuchungen Zug um Zug zu offenbaren. Der Monolog Papinians, der keine Entscheidung erst erzwingen muß, ist nach Form und Aussage Sinnbild des Fertigen und Abgeschlossenen: Die Handlung holt geradlinig lediglich nach, was längst bereitet ist. Großmut und Standhaftigkeit bilden nicht das unter Irren und Versagen erreichte Ziel; sie sind Anfang, Mitte und Ende einer dramatischen Demonstration didaktischer Absichten.

Die Einheit aus Konzentration und Entgegensetzung bildet das Wesen auch des barocken Dramas. Die Verkürzung der dargestellten Zeit ergibt die vehemente Fallgeschwindigkeit der Titelfigur – der polaren Denkweise Gryphs bot sich die antagonale Struktur des Dramas geradezu an. Schon die einem einfachen Grundriß verpflichtete Gruppierung der Figuren zeigt, zumal wenn diese als Bedeutungsträger verstanden sind, die verdichtete Kollisionsmöglichkeit auf, die das Geschehen auslöst. Als Stiefbrüder sind Bassian und Geta sozusagen von Geburt her der Verfeindung ausgesetzt, als die beiden Verwalter der einen Macht fast ex definitione von der Versuchung befallen, die Alleinherrschaft zu erlangen. Papinian, der im Zenit seines Einflusses steht, ist an beide als höchster Beamter wie als Schwager gebunden. Spiel und Gegenspiel entwickeln sich aus diesem „prägnanten Moment", dieser „aufbrechenden Knospe", wie Schiller die konzentrierte Ausgangssituation nannte. Die Untat des Bassian gliedert die Fronten der Mitagierenden, scheidet die Diener Cleander und Laetus in treue und ungetreue und setzt die Frauen Julia und Plautia auch dem Wesen nach einander entgegen. Die Antithetik, die den Alexandrinervers mitformt, konstituiert das Grundgefüge des ganzen Dramas: Der Gegensatz bestimmt die Welt des Papinian und die des Hofes; Recht und Unrecht, Gewissen und Macht stehen unversöhnbar einander gegenüber; Leidenschaft und Ataraxia, das Ewige und das Vergängliche widerstreiten einander.

Papinian ist die beherrschende Gestalt des Dramas. Der bedeutsame Eingangsmonolog äußert sein Selbstverständnis und seine Haltung zur Welt „von der stoltzen Höh" (I 1)

des Lebens aus, das, als Erhebung, den drohenden „Fall"
impliziert. Im stolzen Bewußtsein der eigenen Leistung kann
Papinian seinen Taten- und Tugendkatalog nennen. „Von
langer Hand" (I 54, vgl. auch I 246) hat die „Noth" den
bevorstehenden Hader der kaiserlichen Brüder vorbereitet,
„vor vielen Zeiten" (I 55 ff.) hat sie über sein eigenes Geschick befunden. Jetzt ist die Stunde gekommen, da die
„Noth", das bestimmende Fatum, sich auswirkt – das bedeutet: das längst Bereitete wird unmittelbar zukünftig. Die
Handlung des Dramas aktualisiert und enthüllt nur noch,
was die Einsicht Papinians in das Geschick freilegte; die
Handlung holt in der Wirklichkeit seine Ahnungen (I 48)
ein, und zwar in einer ihn physisch zerstörenden Weise. Auf
der Höhe seines Wirkens hat die Melancholie des tathaften
Menschen Papinian erfaßt: er ist müde geworden und „der
Ehren satt" (I 321), die das Leben zu bieten hat, denn dieses
Leben ist nach Auskunft des Monologs Verleumdung, Ver-
dächtigung, Undank (I 129 ff.) – „Wind / Schatten / Rauch
und Sprew" (V 270). Vom überwundenen Ende her kann
Papinian, seiner selbst jetzt und zukünftig gewiß, sein Leben
beurteilen (I 330 ff.). Obwohl das Fatum über ihn verfügt,
braucht er sich nicht determiniert zu fühlen: Volentem du-
cunt, nolentem trahunt fata (Seneca). Papinian ist gebunden
und frei zugleich, da er bejaht, was über ihn verhängt ist.
Frei ist, wer zustimmend das zwanghaft waltende Geschick
in den eigenen Willen aufnimmt, so daß Lebensentwurf und
Fatum zusammenfallen. Darüber verwandelt sich, wie das
Drama in seinem Fortgang zeigt, das Verständnis der unper-
sönlichen „Noth" in die „Schickung des Himmels" (vgl. IV 230,
232, 348, V 139). Papinian kennt das Weltgesetz, daß der
Tugendhafte mit Notwendigkeit verfolgt werde, die Koexi-
stenz von Macht und Recht nur vorläufig sein könne: So
stellt er nach römischer Art seinen Nachruhm als seine irdi-
sche Unsterblichkeit (I 60 und IV 237, 281, V 148) dem ge-
wußten Untergang entgegen. Nachher, im Angesicht des
Todes, ergänzt und vertieft er den Sinn seines Sterbens.

Papinian weiß sich in seinem Monolog seiner Tapferkeit im Leben und Sterben gewiß, so daß gefragt werden muß, worin seine Kraft, die ihn großmütig und beständig sein heißt, denn gründe. Die stoische Moralität, die Walter Benjamin den barocken Dramenhelden zuspricht, erfüllt auch ihn, und „Großmüthigkeit" ist schon der Titelgebung zufolge der herrschende Ausdruck seines Wesens. „Großmüthigkeit" hat natürlich mit Generosität im heutigen Wortverstand wenig gemein, denn diese ist lediglich eine persönliche Eigenheit, während die magnanimitas als der „große Geist" (V 71 f. u. ö.) eine Haltung bezeichnet, die alle übrigen Eigenschaften eines Charakters bestimmt und umgreift. Gryphius wird nicht müde, mit immer neuen Attributen den Sinn- und Wortbezirk der „Großmüthigkeit" und der mit ihr verwandten „Beständigkeit" aufzufüllen. Die eigentliche stoische Tugend, die constantia, wird als Thema das ganze Drama hindurch moduliert, der Grundbegriff des „Stehens" unablässig abgewandelt, übertragen und nuanciert. In eine Unzahl von Bestimmungen entfaltet sich das Wesen des „unbewegten Muts" (IV 354), seine Leidensfähigkeit (IV 292), seine Unverzagtheit (V 279), seine Furchtlosigkeit (IV 262, 291 f., V 258) usw.; in eine Unzahl von Vergleichen wird das Wesen des „reinen Hertzens" (IV 423) übertragen, das wie ein „reiner Demant" (IV 289), wie eine „stoltze Klippe" (IV 289) in der Flut der Zeit steht. Es bedarf keines langen Nachweises, daß Gryphius das menschliche Leben auch in diesem Drama sub specie vanitatis begreift, als „eitel Tand" (IV 254). Das Leben ist ein Schauspiel (vgl. V 335), zu dem sich das geschriebene Drama wie ein Spiel im Spiel verhält. Der Mensch hat nach antiker, vom Barock zur Selbstdeutung wieder ergriffener Vorstellung seine ihm zugeteilte Rolle auf dem theatrum mundi zu spielen. Von daher wird die Welt mit der Unwirklichkeit des Theaters durchsetzt, während das Leben eine stilisierte Theatralik erhält, die nach Maske und Verstellung vor dem Auge des Zuschauers verlangt. Zuschauer und Spieler zugleich, begreift der Mensch distanziert

– uneigentlich, wie seine Sprachform zeigt – das eigene Geschick als Teil des Weltlaufs. Der stoische Mensch nun entzieht sich dem Welttheater, seine Weltabsage steigert sich zur Weltverachtung. Auch Papinian, der den Kaisern treu diente, verlangt es nach Abkehr von der schnöden Welt und nach der tranquillitas animi, der meditativen Existenz, doch ist er verstrickt in den Hader der Brüder. In den Worten seines Sohnes offenbart sich aber ein Pessimismus gegenüber dem Diesseits, den die augenblickliche gefährdete Situation nicht allein erklärt: Der Mensch ist „dem Tod' in dises Licht geboren" (IV 251 und V 239 ff.). Mit dem Leben beginnt das Sterben.

Doch dieser Vergänglichkeit vermag der Beständige zu entgehen, denn er findet Dauer in der reinen, sich selbst treu bleibenden Gesinnung. Der Rechtsgelehrte Papinian beruft sich in der Auseinandersetzung mit Cleander und Bassian auf das Gewissen, gegen das er nicht angehen kann, als letzte Instanz (III 506). Das Gewissen ist der Ort, wo die Spannung zwischen dem Gehorsam gegenüber dem Gebot der Themis (vgl. II 535) und dem Befehl des Bassian auszuhalten ist. In der Deutung seiner Bindung an Gewissen und Recht überschreitet Papinian den Kreis der stoischen Moralität und ihres weltimmanenten Bezugs und öffnet sich die Transzendenz, die natürlich nicht nach christlicher Vorstellung gedacht werden darf. Das Recht ist über menschlicher – auch über kaiserlicher – Satzung, des „Himmels Gabe" (I 224), vom Weltschöpfer der Seele eingeprägt (vgl. IV 340); das Recht ist heilig (I 92, II 582, III 474, IV 330, V 66, 259), und Recht und Gott sind eins (V 154, 288). Obwohl Papinian dem Recht göttlichen Ursprung und eine religiöse Weihe zuteilt, bleibt er innerhalb des historisch gegebenen Verständnisses stehen und bezieht sich auf die heilige Themis (IV 330–37, V 343), die, mehr als eine bloße Begriffsgöttin, Recht und Rache zugleich verkörpert. Das vergöttlichte Recht bedeutet demnach das transzendente Absolutum, dessen Organ als Ausdruck des Ewigen in der Zeit das Gewissen ist. Die bewahrte Übereinstimmung von Gewissen und Recht äußert sich in der Fähigkeit, über „Noth" (I 431), Vergänglichkeit (IV 263) und kreatürlicher Angst (IV 278 f., V 154) zu stehen. Wie das Gewissen auf das heilige Recht, so ist die Täpferkeit Papinians dialektisch auf des Himmels Beistand (IV 363, V 264) bezogen, obschon nach stoischer Manier die Subjektivität des Protagonisten kräftig betont ist (V 342). Der Gehorsam gegenüber dem im göttlichen Recht gebundenen Gewissen verheißt – über den Tod hinaus – bleibenden Gewinn. Das vergängliche Leben selbst kann transzendiert werden; die Zeit ist aufgehoben – wenn so gesagt werden darf – im nunc stans der Gesinnung. Das Ewige, von der Beständigkeit des Menschen aktualisiert, ragt als das „ganz Andere" vertikal in die Zeithorizontale hinein. Das reine Gewissen erhebt *in* der Welt *über* die Welt und nähert die qualitativ geschiedenen Sphären einander an, so daß Papinian glaubensgewiß sagen kann:

„Wer hir beständig steht; trotzt Fleisch und Fall und Zeit. Vermählt noch in der Welt sich mit der Ewigkeit . . ."

(IV 233 f.)

Aber die theonome Gesinnung Papinians, die in ihrer Unbedingtheit alle individuellen Züge aufzehrt, muß sich bewähren, und Gryphius spielt die ganze Skala möglicher Anfechtungen durch, um die Tugendkräfte seines Helden zu demonstrieren. Die Selbstbewahrung, die im Eingangsmonolog überwiegend passiv gedacht ist, muß zur Selbstbewährung reifen – nicht so sehr im aktiven Handeln, als vielmehr im Leiden, das, wie Hebbel von den dramatischen Personen sagte, ein nach innen gerichtetes Tun darstellt. Papinians Leben vollzog sich im Einsatz für das Imperium; sein Ende lehrt, daß in der diesseitigen Welt der Gerechte von der an sich bösen Macht vernichtet wird. Papinian erwägt an keiner Stelle eine aktive Gegenwehr – seine Gegenreden formulieren ausschließlich Wesen, Gründe und Folgen seiner weltüberwindenden Haltung. Der Kaiser aber will Unterstüt-

zung: eine ‚Sprachregelung' „bey zweiffelhafften Fällen"
(IV 123). In der hochdramatischen 2. Szene des 4. Aktes steht
ihm Bassian, bedingungslosen Gehorsam verlangend, gegenüber. Aber Papinian unterscheidet zwischen dem, was des
Kaisers, und jenem, was der Themis ist (IV 162). Drohungen
können nichts ausrichten; Versuchungen wie die der ehrver-
gessenen Kaiserinmutter erreichen ihn nicht; der Kompro-
mißvorschlag seiner Eltern, die mit den Mitteln der Situations-
ethik argumentieren, zeigt ihm den unausgleichbaren Gegensatz von Recht und Scheinrecht. Die Armee trägt Papinian
den Staatsstreich an, denn sie, die an beide Brüder in gegen-
seitiger Treuepflicht gebunden ist, fürchtet Bassians Wüten
nach der Beseitigung Papinians. Die heutzutage wenig be-
friedigende Abwehr des Widerstandsrechts macht Papinian
in augenfälliger Weise als Gestalt eines letztlich unpolitischen
deutschen Protestanten faßbar: Papinian verwahrt sich gegen
den bloßen Gedanken des von Gryphius schon in seinem
Carolus Stuardus verurteilten Königsmords. Selbst als Bru-
dermörder und auf dem Wege zur Tyrannis bleibt Bassian
gottgewollte, unantastbare Obrigkeit und Werkzeug der
Vorsehung (IV 405 ff.). Daher überrascht es nicht, daß der
Tod des eigenen Kindes Papinian in „Geduld und Tugend"
(V 143) nur noch befestigt. Während sein Sohn dem Tod
gleichsam entgegenläuft, ersehnt ihn Papinian. Das Urteil,
sterben zu müssen, wird, wie bei christlichen Märtyrern, vom
Willen zum Tod überholt. Der innere Vorgang der Papinian-
Handlung stellt das Absterben vom Leben dar, zugleich aber
in einer parallelen Bewegung die Stärkung des Gleichmuts,
dem der physische Tod nichts mehr anhaben kann. Im 5. Akt
wächst Papinian über sich als Person hinaus: Er versteht seinen Tod als Sühneopfer (V 318), als Tod für die Ehre der
heiligen Themis (V 343 ff.), und noch der letzte Gebetswunsch
gilt dem Reich (V 354). Ein Märtyrer der Gerechtigkeit,
nimmt er den Tod an, im stolzen Bewußtsein, daß der Kern
der Person nicht zu zerstören sei (vgl. IV 328 mit seinem
pointierten Hinweis auf das Jahwe-Wort: 2. Mose 3,14). Die

todüberwindende Haltung der sich bewahrenden magnanimitas erzwingt die paradoxale Umkehrung, die als Triumph das Ende des Märtyrers verklärt: Die Darstellung des Leidens ist zugleich Preisung der „Großmüthigkeit" des Leidenden. Der Tod verkehrt sich in den Gewinn des Lebens (vgl. V 35, 67, 246, 334). Sturz und Erhebung, Steigen und Fallen stehen als dialektische Identität am Ende:

„Wer verleurt; gewinnt auff disem Spil" (V 134).

Die Auserwähltheit der „beständigen" Person ist die Voraussetzung der märtyrerhaften Dignität. „Deß Himmels schicken setzt / Nicht schlaffen Seelen zu" (IV 230 f., vgl. auch I 152): Es ist der Vorzug großer Menschen, für das Ewige in der vergänglichen Welt zu zeugen und zu leiden. Der Bitternis des tragischen Untergangs ist Papinian, der seine Situation mit völliger Bewußtheit durchschaut, enthoben, denn über einer tragisch disponierten Welt, wo das Gewissen unausweichlich an der verderbten Macht zugrunde geht, öffnet sich ihm, wie anderen barocken Märtyrergestalten, eine sinngebende Transzendenz. Gryphs letztes Werk ist ein säkularisiertes Heiligendrama. Soweit die profanhistorischen Züge und der stoizistische Grundcharakter des Ganzen es erlaubten, gab der Dichter christliche, mit der Stoa eng verwandte Vorstellungen bei – zumal durch die Betonung des Sühnetods Papinians rückte er diesen behutsam in die Nähe der imitatio Christi. Wie *Carolus Stuardus* nicht nur eine christliche Gottergebenheit ausdrückt, sondern auch den Gleichmut des Stoikers beweist, so erfüllen den Stoiker Papinian christliche Motive, auch wenn Eschatologie und Heilserwartung entfallen. Der fast synonyme Gebrauch von fatum und providentia zeigt, wie sich die Glaubenswelten überlagern können. Die Differenzen zwischen einer in sich selbst gründenden Moralität und christlicher Gottergebenheit seien nicht verwischt, wenn Papinian als Vorstufe und in Analogie zur christlichen Märtyrertypik gedeutet wird. Seine ausschließlich weltimmanente Haltung zu betonen ist nicht länger angängig.

Papinian ist eine anima naturaliter christiana. Aber da dieses Trauerspiel überdies an vielen Stellen auf den subjektiven Idealismus des späten 18. Jahrhunderts, auf Schiller insbesondere, vorweist – auch wenn ein autonomes Selbstbewußtsein nur in enger Korrelation mit einer offenen Transzendenz erscheint –, so läßt sich mit der gebotenen Zurückhaltung ableiten: Der *Papinian* bedeutet den geistesgeschichtlichen Schnittpunkt, wo die autonome Innerlichkeit (vgl. IV 270, 423, V 58 f.) vom pathetischen Subjekt voll ergriffen, aber die Transzendenz in ihrer Sinngebung voll belassen wird. Von den Neostoikern, vor allem von Lipsius, kräftig beeinflußt, eingebettet in die christlich-patristische Tradition, verbindet Gryphius christliche, stoische und idealistische Elemente, die, isoliert und formal verstanden, in ihrem ethischen Grundcharakter übereinstimmen, zu einer Einheit.

Nur mit andeutenden Worten kann an dieser Stelle der ‚Staatsaktion‘ des 2. und 3. Aktes gedacht werden, die, wie erwähnt, lediglich in ihrer Auswirkung auf das Rahmengeschehen um Papinian bezogen sind. Das Zwischenspiel gewinnt sein Eigenleben durch eine psychologisierende und intensivierte Handlung, die den Fürstenhof umfaßt, der nach barocker Vorstellung die jäh wechselnden menschlichen Geschicke versinnbildlicht. Schon der Beginn des 2. Akts – dem Reyen des ersten und seiner Rühmung der vita beata schroff entgegengesetzt – zeigt, wie der Knoten des Bösen geschürzt und der zögernde Bassian von Laetus getrieben wird, wohin er nicht will. Der Intrigant kennt die Verführbarkeit des Machtmenschen, er denkt ihm vor, weckt seine Zweifel, vermehrt seine Gelüste und liefert das sinnverwirrende Stichwort (II 154). Im Rededuell der feindlichen Brüder reizt Laetus im entscheidenden Augenblick den Jähzorn Bassians zur schnellen Tat. Im Fall noch Halt zu gewinnen und die „vollzogene, nie erwogene“ Tat (vgl. III 16) ungeschehen zu machen, ereifert sich Bassian. Er nimmt, da er verführt sei vom Intriganten und hingerissen vom Affekt, die schuldlose Schuld des tragischen Menschen für sich in Anspruch. Aber die Schwerkraft der Verfehlung zieht ihn tiefer; er versucht das Recht zu manipulieren und wandelt sich zum bewußten Tyrannen, den auch keine Traumerscheinung zurückhält. Anfangs zur Tat, nachher durch die Tat getrieben, vollzieht sich an ihm das Gesetz des fortzeugenden Bösen, als er den „Reichs-Hofemeister" hinrichten läßt.

Während Bassians Ende, an dem die Rachegeister arbeiten, über das Drama hinausweist, erhält die autonom gesetzte Laetus-Episode ihren grellen Abschluß im Drama selbst. Unheimlich wirklichkeitsnah hat Gryphius den Intriganten gezeichnet, für den der Kaiser nur als Werkzeug der eigenen Machtbesessenheit fungiert. Ein Meisterstück psychologischer Darstellungskraft, wird Laetus in seiner geistigen Gegenposition zu Papinian am ehesten faßbar, auch wenn er dramaturgisch nicht den Rang eines Gegenspielers erreicht. „Ein Augenblick verspilt" (III 336), da er zauderte, den ganzen gewagten Einsatz; resigniert konstatiert er, Fortuna in ihrer Falschheit habe gegen ihn entschieden. Der Mensch als Werk des flüchtigen Augenblicks und des schnöden Glücks: der Beständige allein kann diese Ursituation des barocken Dramas ändern. Papinian *findet* durch Beständigkeit das Ewige in der Zeit, Laetus *sucht* durch Intrige das Vergänglichste der vergänglichen Zeit, die hinschwindende Macht. Der barocke Dramatiker hat den Mut, Gerichtstag, wie Ibsen ihn forderte, zu halten über Gerechte und Ungerechte. Der Gerechte wird erhöht im Fall, der Ungerechte sinkt, auch wenn er äußerlich stiege. In der Gestalt des Bassian ist das Welttreiben in seiner Machtfülle und Verfehlung gesammelt. Der das barocke Denken beherrschende Wechselbezug von Höhe und Fall durchzieht das ganze Drama, das gegenseitige Verhältnis der Hauptpersonen und deren Entwicklung: Der Fürst bedingt, zum Tyrannen geworden, Papinian als Märtyrer. Doch weder Bassian noch Laetus sind bloße schwarzverzeichnete Bösewichte. Reue sucht Bassian heim, und am Ende steht Laetus „behertzt" (vgl. III 611 ff.), die Qualen der rasenden Kaiserinmutter zu tragen. Aber Trotz und Ver-

achtung allein geben ihm die Kraft stoischen, selbstbezogenen
Erduldens, das keinen überpersönlichen Sinn besitzt und
keine frühere Falschheit zurücknimmt.

Der *Papinian* ist ein Sprachwerk in einem genaueren Sinn,
als er gemeinhin dem Drama zusteht: Gryphius folgt, wie
angedeutet worden ist, keinen dramaturgischen Vorteilen,
und der Umsetzung ins Mimische widerstrebt seine verinner-
lichte, ‚statische‘ Hauptperson. Was ein Drama an Verinner-
lichung gewinnt, verliert es an äußerem Geschehen, so daß
im verleiblichten Wort der dramatische Prozeß abgehandelt
werden muß. Trotz einzelner greller Bühneneffekte stellt der
Papinian weniger sichtbare Handlung denn die sie antrei-
bende oder ihr nacheilende Leidenschaft dar. Diese Leidenschaften werden nicht nur unmittelbar ausgesprochen, sondern auch um ihrer selbst willen mit teichoskopischer Ge-
nauigkeit berichtet, wie die Klagen der Frauen nach Getas
und Papinians Tod zeigen, und benannt, wenn die szenisch-
mimische Darstellung nicht ausreicht. Die Sprache hat die
Aufgabe, Zwiespalt und Kampf ungeheuerlicher Affekte an-
gemessen auszudrücken. In isolierte „Zentnerworte“, wie sie
Gryphius nennt, werden die Leidenschaften gepreßt und wie
Interjektionen hinausgeschleudert. Ellipsen treiben das affekt-
geladene Wort hervor; nur die Häufung der Wörter, Bilder-
funken und Vergleiche kann die Leidenschaft ganz erfassen.
Die Sprache des Papinian kennt nicht den intimen Seelen-
laut; die Künstlichkeit des Monologs steigert sich noch durch
die stilisierte, für die abwesenden Mitagierenden entworfene
Selbstdarstellung. Deklamiert wird mit dem Ziel, den anderen zu überreden oder die eigene Leidenschaft anerkannt zu
wissen, da deren Größe das Maß setzt für den eigenen Anspruch auf Herrschaft und Rache. Hyperbeln wollen das Un-
gewöhnliche, historische Allusionen das letztlich Unver-
gleichliche demonstrieren. Über die Stufen der Anaphern
hinweg nehmen die weiten Perioden ihren Anlauf, das Un-
sagbare ganz zu erfassen und in der abschließenden Sentenz
die Summe dessen zu ziehen, was im sprachlichen Furioso

mehr verborgen als geklärt bleibt. Wie die unzähligen Vergleiche und Gleichnisse, so zeigen auch die Maximen die Fähigkeit der dramatis personae, im Ausbruch der Leidenschaft der Reflexion fähig zu sein. Diese reflektierte Distanz erzielt das von der Situation und der Individualität abgelöste uneigentliche Sprechen, dessen Ausdrucksverlangen die bloße Mitteilung verschmäht. Das Drama als „agierte Disputation" (Günther Müller), die rhetorischen Regeln verpflichtet ist, findet den Höhepunkt seines dialogisch-antithetischen Spiels in den stichomythisch komprimierten Rededuellen der Kontrahenten (vgl. II 1 ff.; III 415 ff. und IV 159 ff.). Die Eigentümlichkeit der barocken Dramensprache wird an diesen Stellen besonders einsichtig: Die Zeilenrede abstrahiert sofort vom konkreten Einzelfall, dekliniert sozusagen ein Bild- oder Keimwort, verselbständigt sich, verweist auf eine generelle Einsicht und bildet auf ihre Weise die Inkongruenz von Wort und Situation, Sprache und Handlung ab. Wie die geschichtlichen Fakten auf einen übergeschichtlichen Sinn verweisen, so die konkreten dramatischen Situationen auf eine abgelöste und übergeordnete Einsicht. Aber auch die gegenstrebige Tendenz muß voll erkannt werden: Die Lust am Grausigen, am Sinnlich-Sinnenhaften, verlangt sinnliche Wörter – Gryphius stimmt mit Harsdörffers Meinung überein, daß der Gedanke in sinnliche Äquivalente, in ein Bild oder einen Vergleich übertragen werden müsse. Darin gründet die Neigung des Barock zur Allegorie und letztlich die Gefährdung, Papinian gleichsam als pure Personifikation der reinen Tugend darzustellen.

Bewunderungswürdig bleibt, wie souverän Gryphius den paarweise gereimten Alexandriner, das Metrum des heroischen Pathos, handhabt und in einer gelegentlichen Antilabe den Vers auf mehrere Personen aufzuteilen weiß. Bewunderungswürdig auch, wie er die vielfältigen Maße in den Reyen meistert. Eine eigene aufgelockerte Form weist er den lyrischen Einschüben der Abschiedsreden zu (vgl. III 285 ff., V 343 ff.), doch die Reyen der Zwischenakte erhalten nach

Vers und Umfang eine individuelle Prägung, die vom stro-
phisch gebundenen Lied bis zur triadisch gegliederten Ode
nach dem Vorbild Pindars reicht. Die Reyen, dem antiken
Chor nachgebildet und durch Vondel nach Begriff und Dar-
stellungsweise vermittelt, bezieht Gryphius weniger innig
auf die einzelnen Akte als nachmals Schiller den Chor, der
als „richtender Zeuge" und „idealischer Zuschauer" im Schauspiel integriert sein sollte. Auf verschiedene Gruppen auf-
geteilt, kommentierend, resümierend, nach dem 1. Akt das
stoische Ideal des procul negotiis preisend, ein andermal in
die Klage einstimmend, bilden die Reyen „das spirituelle
Gerüst für die materiellen Vorgänge" (Willi Flemming). Sie
nehmen auch die von den Jesuiten und der haute tragédie
bevorzugten allegorischen Interludien auf, so daß die Themis
selbst und die „Rasereyen" als Bürgen für die Rache erscheinen können. Die Reyen bieten demnach die Exegese der
Vorgänge, füllen die für den Bühnenumbau nötigen Inter-
valle und transzendieren in ihren allegorischen Partien das
lineare Geschehen.

„Ich sey auch wer Ich sey" (IV 328): In seinem letzten
Drama stellte Gryphius ein exemplarisches Menschentum vor,
dessen in sich gegründete Treue der „Schickung des Himmels"
dialektisch zugeordnet ist, mit der übereinzustimmen die über-
zeitliche Existenz gewährleistet. Daß der dramatischen Dichtung Gryphs eine didaktische Aufgabe zugeteilt war, sollte uns
nicht erstaunen: Seit den *Fröschen* des Aristophanes wurde
die Schaubühne immer wieder als moralpädagogische Anstalt
deklariert; in der Nachfolge des Aristoteles suchten die Leh-
rer der Poetik auch noch über Lessing hinaus das Drama von
seiner Wirkung her zu bestimmen. Für Gryphius war es eine
geradezu selbstverständliche Voraussetzung seiner dramatischen Dichtung, auf der Schulbühne für die weltüberwindende
Haltung des Märtyrers zu werben und die Zuschauer dem
hinfälligen, betörend-verführerischen Leben zu entwöhnen.
Die katharische Wirkung, die er erstrebte, war, im weiten
Sinn verstanden, der Seelsorge verwandt: durch die Dichtung

die Menschen von menschlicher Bedürftigkeit zu reinigen. Das Wort des Tacitus, das Gryphius seinem *Papinian* als Motto voranstellte, spricht davon: „Specta juvenis . . .“ „. . . Du bist in Zeiten hineingeboren, wo es angebracht ist, sich an Beispielen vorbildlicher Standhaftigkeit zu stärken.“

Werner Keller

Andreas Gryphius

IN RECLAMS UNIVERSAL-BIBLIOTHEK

Absurda Comica oder Herr Peter Squenz
Schimpfspiel in drei Aufzügen.
Herausgegeben von Herbert Cysarz. 917

Cardenio und Celinde
Oder Unglücklich Verliebte
Trauerspiel. Herausgegeben von Rolf Tarot. 8532

Carolus Stuardus
Trauerspiel. Herausgegeben von
Hans Wagener. 9366/67

Gedichte
Eine Auswahl. Texte nach der Ausgabe letzter
Hand von 1663. Herausgegeben von
Adalbert Elschenbroich. 8799/8800

Großmütiger Rechtsgelehrter
oder
Sterbender Aemilius Paulus Papinianus
Trauerspiel. Text der Erstausgabe, besorgt von
Ilse-Marie Barth. Mit einem Nachwort von
Werner Keller. 8935/36

Leo Armenius
Trauerspiel. Herausgegeben
von Peter Rusterholz. 7960/61

Philipp Reclam jun. Stuttgart